編みものこもの

三國万里子

文化出版局

わたしの仕事は「ニッター」。
編み物屋です。
春、夏、秋とニットを編みためて、冬になったら短期間のお店を開いてそれを売る。
とてもシンプルな、まるで「かさこじぞう」のおじいさんのような仕事。

家の居間が仕事場で、本棚には少しずつ集めた各国の編み物本が、
わたしの相談相手として頼もしく並んでいます。
材料の毛糸は押入れの中に、スペースいっぱい詰まっていて、
注意してそっと戸を開けないとなだれ落ちてくるのが悩みの種……。

毎朝起きると、今日は何を編もうかな、と考えます。

暖色のグラデーションで手袋を作ってみたい。
でも、忘れないうちに昨日思いついたシンプルなキャップにとりかかろうか。
押入れの中のカシミヤの糸、そろそろもったいながらずに使わなきゃ。
ストップしていたカーディガンの袖から先、再開しようかな。
などなど。

何を作るか決めたら、コーヒーを入れて音楽をかけて、時間の許すかぎり編みます。
わたしにとってはそれは仕事なんだけれど、気持ちが満たされる、いい時間です。

この本ではこんなふうに、わたし自身楽しんで日々作り続け、
お店に並べてきたニットの中から、人気のあったものを中心に紹介します。

やさしいものから、編みごたえのあるものまで。

編む時間を楽しんでいただけたら、幸いです。

三國万里子

CONTENTS

ざっくりミトン —— 04
親子ミトン —— 06
ローズボールのミトン —— 08
花のミトン —— 10
ライオンのミトン —— 11
フォークロアミトン —— 12
木と実のミトン —— 14

ミトンの編み方レッスン —— 16

ヘリンボーンのベレー —— 20
ガーター編みのキャップ —— 21
ケーブルのキャップ —— 22
かのこ編みのキャップ —— 23
フェアアイル柄のベレー —— 24

ノルディック柄のセット —— 28
女の子のためのセット —— 30

グレーのマフラー —— 32
生成りのマフラー —— 33
茶色のマフラー —— 34
からし色のマフラー —— 35
紫色のマフラー —— 35

透し編みの靴下 —— 36
アランの靴下 —— 37

靴下の編み方レッスン —— 38

編みはじめる前に —— 41
作品の編み方 —— 42
編み物の基礎 —— 75

ざっくりミトン

see page > 16

編込みをするのは初めて、というかたにおすすめしたい、太糸のミトン。
指先の部分には模様がないので、ひたすら減し目の作業に集中することができます。
甲の模様は、クラッカーの包み紙のようでもあり、几帳面な人の世話する小さな花壇のようでもあります。
16ページから編み方を写真で詳しく解説しています。

親子ミトン

see page > 42

大きな星を2つ、きっちりはめ込んだミトン。
形がベーシックなので、定番色でなく少しくすんだパステルカラーを選びました。
両方全く同じパターンだけれど、使う針と糸の太さを変えると、大人用と子ども用ほど大きさが違ってきます。

ローズポールのミトン

see page > **44**

スウェーデンのゴットランド島に伝わる「ローズポール」という名前のこの模様、
柱状に連なるバラの生垣のように見えませんか？
3つのミトンは左から右に向かって、針と糸を太くしてバラの列の数を変えています。
模様の繰返しが覚えやすいので、特に太糸のミトンは編込みの経験のあまりないかたにもおすすめです。

花のミトン

see page > **46**

北の国の織物の柄をヒントに作ったミトン。
四角い花はケイトウをイメージして、こっくりした赤を配色しました。
ビーズの編込み、ハイゲージ……と作りごたえのある要素が詰まっているので、時間はかかると思います。
でもその分、編み上がったミトンは特別なものになるはず。

ライオンのミトン

see page > **48**

ある挿絵集の中で見つけたライオンのモチーフを、アザミと一緒に編み込みました。
絵を描くようにマス目を埋めながらオリジナルを作るのは、楽しい作業です。
親指の下にまちを作ってあるので、手にぴったり添うつけ心地です。

フォークロアミトン

see page > 50

バルトの国々の民俗衣装で見かけるタイプのミトン。
はめるとフォークダンスしたくなります。
ハイゲージで根気がいる分、難しいテクニックは入れずに、
作り目の色を変えたり、裏目を入れたり、ちょっとしたことがデザインのポイントになっています。

木と実のミトン

see page > 52

伸びた枝の先に編み出したボブルがにぎやかなミトン。
手を入れるとくっきり模様が現われます。
てのひら側はねじり1目ゴム編みで編むだけだけれど、減し目のしかたを工夫すると、木の年輪のように見えるのです。

◎ミトンの編み方レッスン

4、5ページのざっくりミトンを編みましょう。
ミトンは親指を後から編むため、一度目を休めます。
ここでは、編込みのときに親指穴の目を拾いやすい
方法を紹介しています。

[糸]　パピー ミニスポーツ
　　　　A 生成り（420）70g
　　　　　チャコールグレー（620）25g
　　　　B グレー（660）70g
　　　　　赤（638）25g
[用具] 5号、6号4本棒針
[ゲージ] メリヤス編みの編込み模様　23目25段が10cm四方
[サイズ] てのひら回り21cm、長さ24.5cm
[編み方] 糸は1本どりで、
　　　　P.17〜19の写真を参照して編みます。

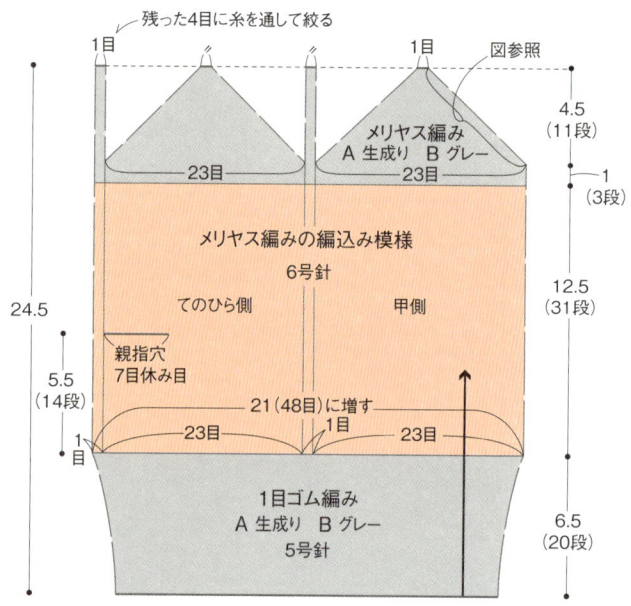

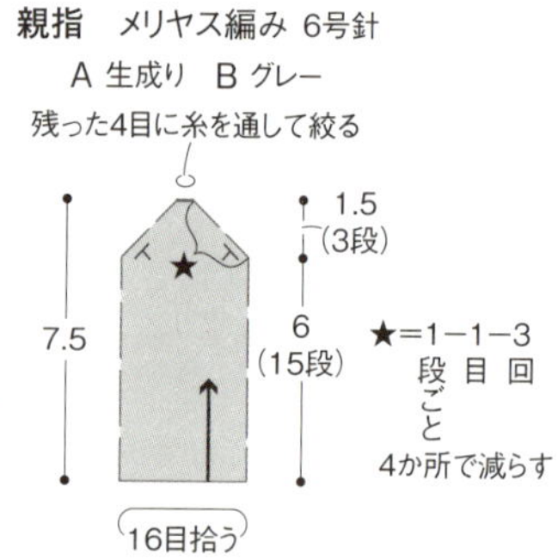

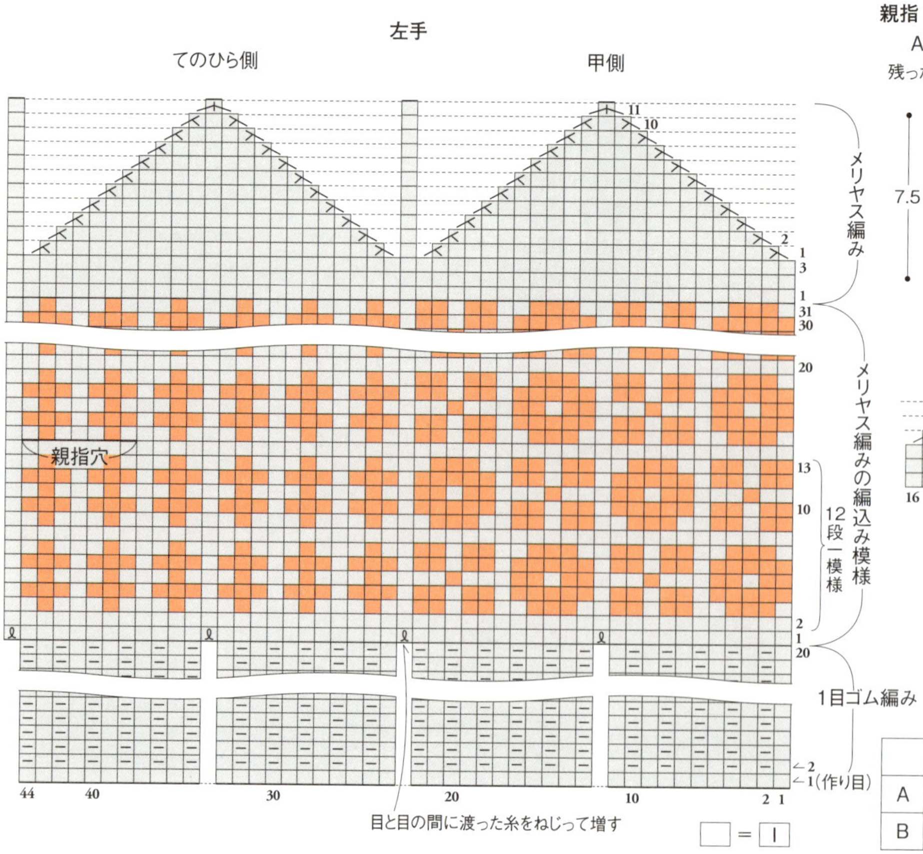

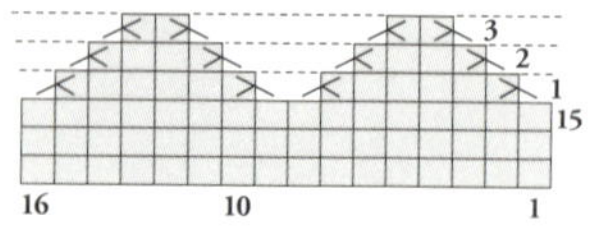

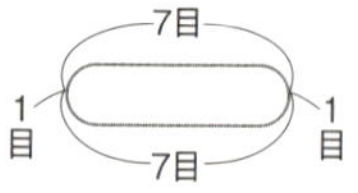

配色表		
A	生成り	チャコールグレー
B	グレー	赤

作り目を輪にする

1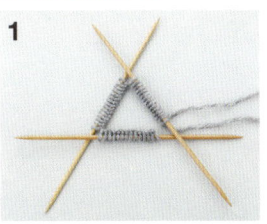

5号針とグレーの糸を使い、指に糸をかける方法（P.75参照）で44目作り目をする。作り目を3等分し、3本の針に分ける。これが1段めとなる。

1目ゴム編み

2

4本めの針を右手に持ち、糸を向う側において針を手前から入れる。針に糸をかける。

3

糸を引き出し、表目を編む。

4

糸を手前において針を向う側から入れる。針に糸をかける。

5

糸を引き出し、裏目を編む。

6

表目と裏目を1目ずつ交互に編み（1目ゴム編み）、2段めを編んだところ。編み地は輪につながっている。

7

同様に20段編む。

ねじり目で増す

8

針を6号針に替え、指定の位置でΩ（ねじり目）で増し目をする。目と目の間の渡り糸を右の針で向う側からすくう。

9

すくった糸に左の針を入れ、右の針に糸をかける。

10

糸を引き出し、1目増えたところ。同様に、指定の位置でねじり目をしながら48目に増す。

編込み模様

11

指定の位置から編込み模様を編む。左の人さし指に地糸（グレー）と配色糸（赤）をかける。

12

色を変えるときは、地糸を下にして休ませて配色糸で編む。

13

地糸で編むときは、配色糸を上にして休ませる。

14

地糸で表目を編んだところ。

15

同じ要領で、編込み図案のとおりに糸を替えながら編む。一模様12段編んだところ。

16

裏側。糸を替えるときは、いつも上下同じ方向にすると裏もきれいに編める。

親指位置で目を休める

 17
親指穴（14段）まで編んだら、親指穴の7目に別糸を通して休め、そのまま次の段を編む。

 18
親指穴の上側に目を作る。編み進めてきた糸を左手に持ち、糸を手前から向う側に向かって針に2回巻く。

 19
1つめのループをつまんで、針にかぶせる。

 20
かぶせたところ。糸端を引き締める。

 21
1目できたところ。

 22
編込み図案に従い、次の目は配色糸で目を作る。

 23
同じ要領で、7目作る。

 24
そのまま続けて増減なく編む。

減し目

 25
＞（右上2目一度）を編む。右の針を手前から入れ、編まずに目を移す。

 26
次の目を表目で編む。

 27
左の針を25で移した目に入れ、編んだ目にかぶせる。

 28
右の目が左の目の上に重なり、2目が1目に減る。続けて表目を19目編む。

 29
〆（左上2目一度）を編む。右の針を手前から2目一度に入れる。

 30
針に糸をかけ、2目一度に表目を編む。

 31
左の目が右の目の上に重なり、2目が1目に減る。

 32
同様に、指定の位置で減し目を繰り返し、10段編む。針には8目残っている。

33
減し目の頂点で（中上3目一度）を編む。右側の2目を手前から一度に入れ、編まずに目を移す。

34
次の目を表目で編む。

35
左の針を33で移した2目に入れ、編んだ目にかぶせる。

36
中央の目が上に重なり、3目が1目に減る。

トップを絞る

37
同様にもう1か所も減らし、針に4目残る。糸端を10cm程度残して糸を切ってとじ針に通し、目を拾う。

38
ぎゅっと引き絞り、糸端を編み地にくぐらせて隠し、始末する。

親指を編む

39
別糸をほどき、針に目を通す。

40
新たな糸を使って、下側の目を編む（ここではわかりやすいように色を変えている）。

41
7目を編んで穴の端にきたら（5目編んだら2本めの針に替える）、上下の間の糸を穴の内側から外側に向かってすくう。

42
すくった糸をねじりながら1目編む。

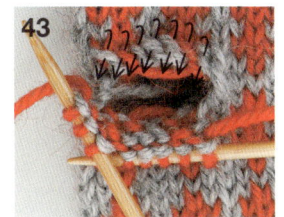
43
下の7目と上下の間の糸から1目拾ったところ。次に、上側の7目を拾う。

44
43の上側の1目めにかぎ針を入れ、針に糸をかける。

45
引き出し、1目拾ったところ。

46
同じ要領で7目拾い、棒針に移す。

47
41と同様に上下の間の糸をねじって1目編み、全部で16目拾ったところ。

48
輪に編み、図のとおりに指先を減し目して絞る。

ヘリンボーンのベレー

see page > **54**

ブルーにピンクの濃淡が混じった毛糸は、夕暮れどきの空の色みたいです。
この帽子を編んでいて楽しいのは、なんといっても減し目のとき。
目数を呪文のようにつぶやきながら編み進めていくと、ヘリンボーンの先が鋭角にすぼまっていきます。

ガーター編みのキャップ

see page > 56

編み物は好き、でも「引返し編み」ってよくわからない……というかた、多いのではないでしょうか。
これはその「引返し編み」のレッスンにぴったりの帽子です。
つばとポンポンがついているけれど、大人の女性にもしっかり似合うデザインです。

ケーブルのキャップ

see page > 58

縄編み針を使わないこのケーブル模様は、驚くほどすいすい編めます。
後ろのスリットから結わいた髪をぴょこんと出してもかわいいですし、
もちろんショートカットのかたにもよく似合います。

かのこ編みのキャップ

ふだんあまり帽子をかぶらないというかたにもおすすめしたい、ベーシックで女性らしい形のキャップ。
編み地がプレーンな分、どんなボタンにするか悩むのも楽しみの一つ。
大人っぽいボルドー色に合うように、シェルボタンを選びました。

see page > **60**

フェアアイル柄のベレー

see page > **62**

柄がクラシカルな分、軽さを出したくて、ベレーにしては小さめなサイズ、ということを意識して作りました。
すべて同じパターンですが、色づかいでかなり雰囲気が変わります。
糸はソフトすぎないものを選ぶと、編込みしやすく、仕上りもきれい。

わたしが初めて編込みのミトンを作ったのは20歳のころ。
海外の編み物本で見つけたデザインでした。
8羽の鳥が甲に並んだ柄で、細かい模様なのにどこか武骨な、
今まで出会ったことのない雰囲気にひかれて、
模様のチャートだけを頼りに編んでみたのです。
でき上がったのは、鍋つかみのように大きな大きなミトン。
プレゼントするつもりだったボーイフレンドの手にも大きすぎて、
笑うしかなかったのだけれど、不思議と物としての魅力があって、
彼はそれを「欲しい」と言ってくれたのでした。

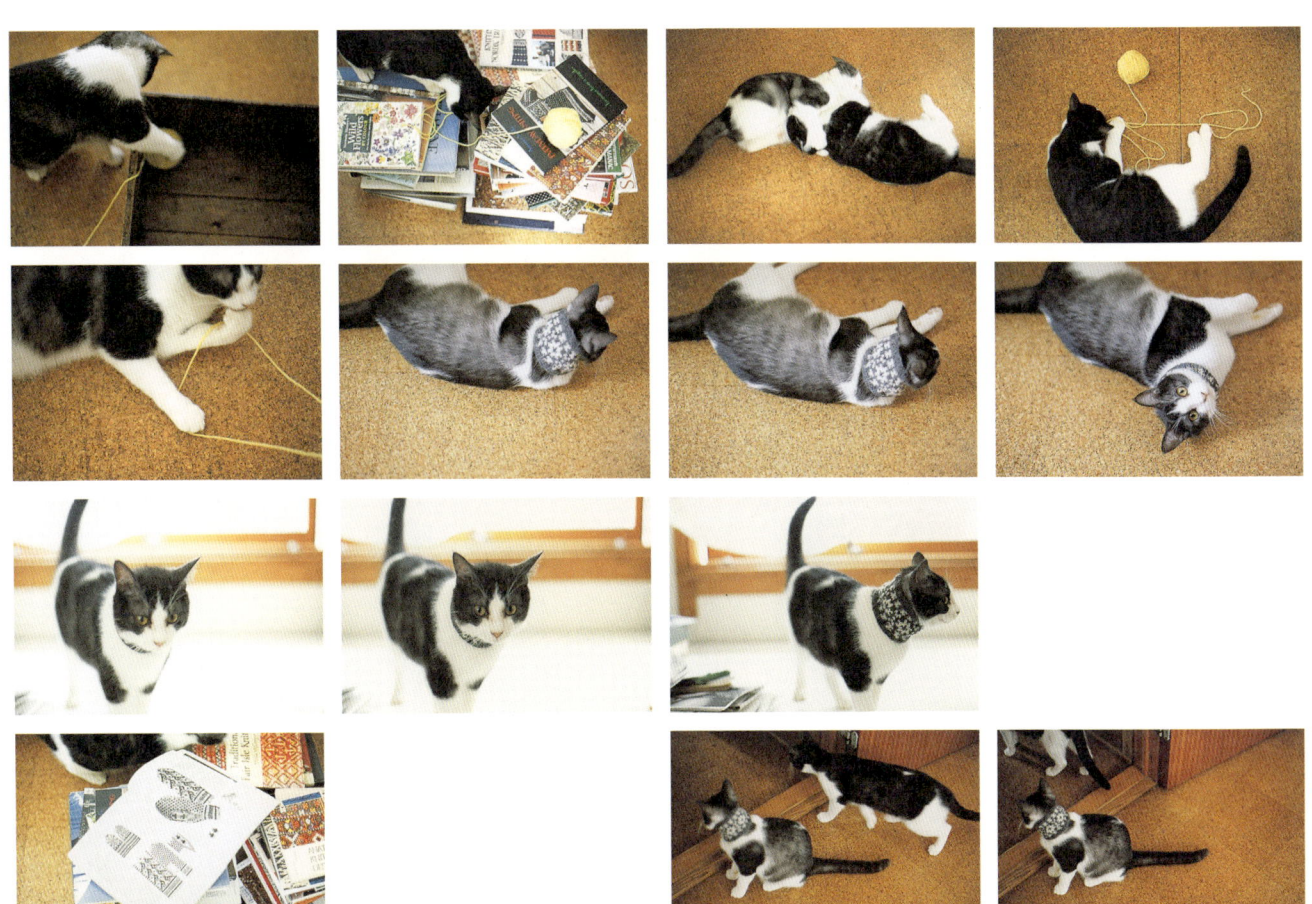

ノルディック柄のセット

see page > 64

男女兼用できるように、少しゆとりのあるサイズで作りました。
キャップは、リブの折返しで好みのサイズに調節できますが、少し深めにかぶるのが気に入っています。
指なし手袋は、指が寒い。でもいいところもあります。
手袋をしたまま切符が買える、本のページもめくれる、そしてなんといってものぞいた指先がかわいい。
男子からの要望の多い形でもあります。

女の子のためのセット

see page > 66

テーマは「ガーリー」。
でも甘すぎるのは得意ではないので、わたしなりのバランスで作った「女の子セット」です。
花モチーフ、キャップのゆったりしたシルエット、ミトンの縁のピコット……と甘さを盛り込みましたが、
抑えた感じの色を選んだら、わたしも「好き」と思えるセットになりました。
ミトンにはみっしり編み込みたい花モチーフも、キャップには多すぎる気がしたので、メリヤス刺繍でワンポイントに。

see page > **35、72**

see page > **34**、**70**

マフラー
生成り

see page > **33**、**70**

くるりと巻いてさらに余裕のある長さのマフラー。編み地に厚みがある分、幅は細めにして。
ぽこぽこと穴があいているけれどレーシーな感じのしないこのマフラーは、
巻いたときに見える裏側の表情も楽しい。

茶色

see page > **71**

軽く薄手に編み上がるこの透し編みは、一見とてもシンプル。
でも、編み地を横に引っ張ってじーっと見ると、小さなドングリがどっさり並んでいるように見えるのです。
それが、このマフラーをこの色にした理由です。

グレー

see page > **32、72**

太めの針でふんわりと作った透し編みのマフラー。
寒いときは鼻先まで包んでしまっても息ができるくらいのふかふかぐあいです。たっぷりめの幅がポイント。

からし色

see page > **73**

「ミステイクステッチ」という名前のパターンで編んだマフラー。でも、どうして「ミステイク」？
それは、2目ゴム編みを表側と裏側でスタート位置を1目ずらして編むからなのです。
何も考えずに手だけ動かしていたい、なんていうときにうってつけのプロジェクトではないでしょうか。

紫色

see page > **74**

マフラー用の編み地には、端がくるくると丸まらないものを選ぶことが多いです。
少しレースっぽいこの模様もそんな一つ。大人っぽい紫で編みました。

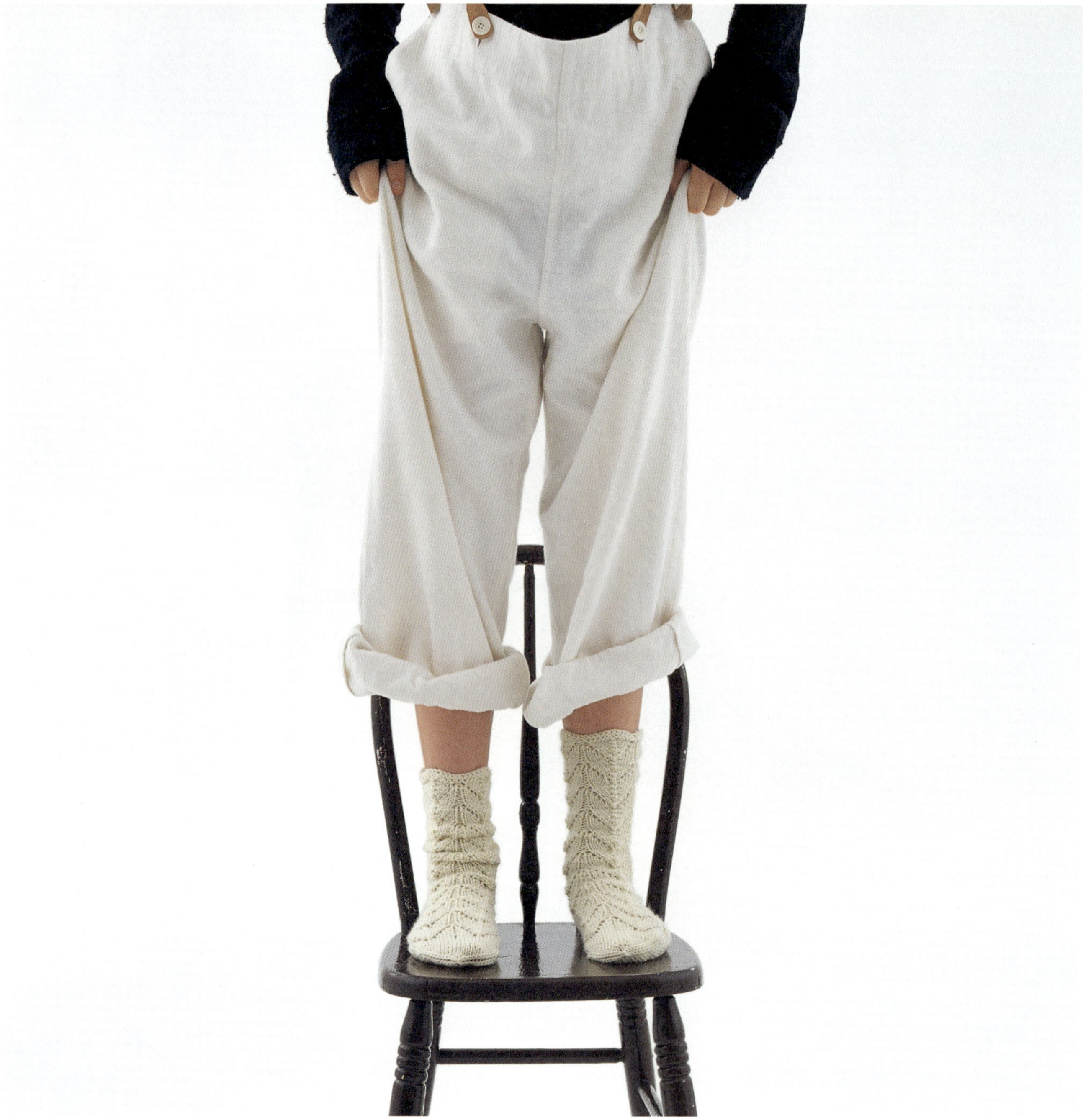

透し編みの靴下とアランの靴下

自分で編んだ靴下に足を入れたときの「包まれる感じ」は、なんともいえません。
靴下編みって、いちばん贅沢な編み物という感じがします。
オフホワイトは「ホースシュー（蹄鉄）」という名前の編み地、
グレーはケーブルの中央に「ダイヤモンド」という名前の編み地を入れています。
38ページから編み方を写真で詳しく解説しています。

透し編みの靴下 … see page > **38**
アランの靴下 … see page > **68**

◎ 靴下の編み方レッスン

36、37ページの透し編みの靴下を編みましょう。
つま先の減し目は、ミトンと同じ要領で編むことができますので、足首～かかとの編み方を解説します。
ここでは、わかりやすいようにパーツごとに糸の色を変えています。

[糸]　　パピー クイーンアニー オフホワイト (880) 120g
[用具]　4号4本棒針
[ゲージ]　模様編みA　24目33段が10cm四方
[サイズ]　足の大きさ23cm、長さ24.5cm
[編み方]　糸は1本どりで、P.38～40の写真と記号図を参照して編みます。

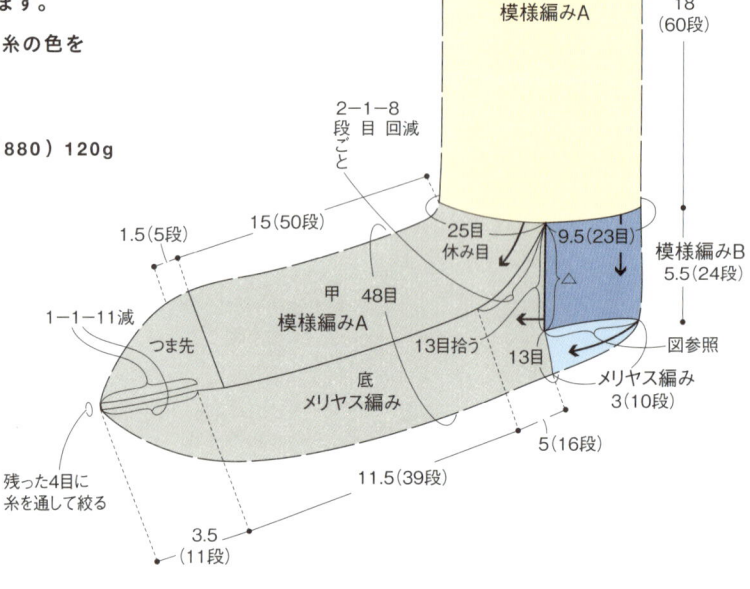

作り目を輪にし、ガーター編み

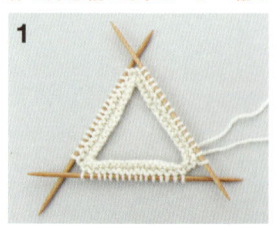

1 指に糸をかける方法 (P.75参照) で48目作り目をし、3等分して3本の針に分け、ガーター編みを4段編む。

足首を編む

2 模様編みAを編む。指定の位置で○(かけ目)を編む。右の針に糸を向う側からすくうようにしてかける。

3 表目を4目編み、指定の位置で⋀(右上3目一度)をする。1目めに右の針を手前から入れ、編まずに移す。

4 次の2目を左上2目一度で編む。

5 左の針を3で移した目に入れ、編んだ目にかぶせる。右端の目が上に重なり、3目が1目に減る。

6 10段一模様編んだところ。かけ目のところに穴があき、右上3目一度のところに目が傾いて寄っている。

かかとの後ろ側を編む

7 60段編んだら、23目を針に残し、25目を休める。

8 23目のほうを往復で編み進める。糸を向う側におき、右の針を向う側から入れ、編まずに移す。これが ∨ (すべり目)。

9 表目を1目編む。

10 奇数段は8・9を繰り返し、偶数段は裏を見ながら裏目を編む。24段編んだところ。

11 裏側。

かかとの引返し編み

12 表目を13目編む。

13 右上2目一度を編む。

14 表目を1目編む。

15 裏に返し、1目めをすべり目する。

16 裏目を5目編む。

17 左上2目一度（裏目）を編む。

18 裏目を1目編む。

19 表に返し、1目めをすべり目する。

20 表目を6目編む。

21 右上2目一度と表目を編む。この要領で、毎段引返し編みをする。（表目／2目一度／表目／すべり目）

22 10段編んだところ。針に13目残る。

拾い目をして輪に編む

23 針にかかった13目をメリヤス編みで編む。

24 ○から13目拾う。

25 休めておいた25目（×）を、記号図どおりに編む。

26 △から13目拾う。全部で64目になる。

27 続けて輪に編むが、指定の位置で減し目し、かかとのまちを作る。

28 16段編み、48目に減らす。甲と底を増減なく39段輪に編み、つま先を図のように減らし、残った4目に糸を通して絞る。

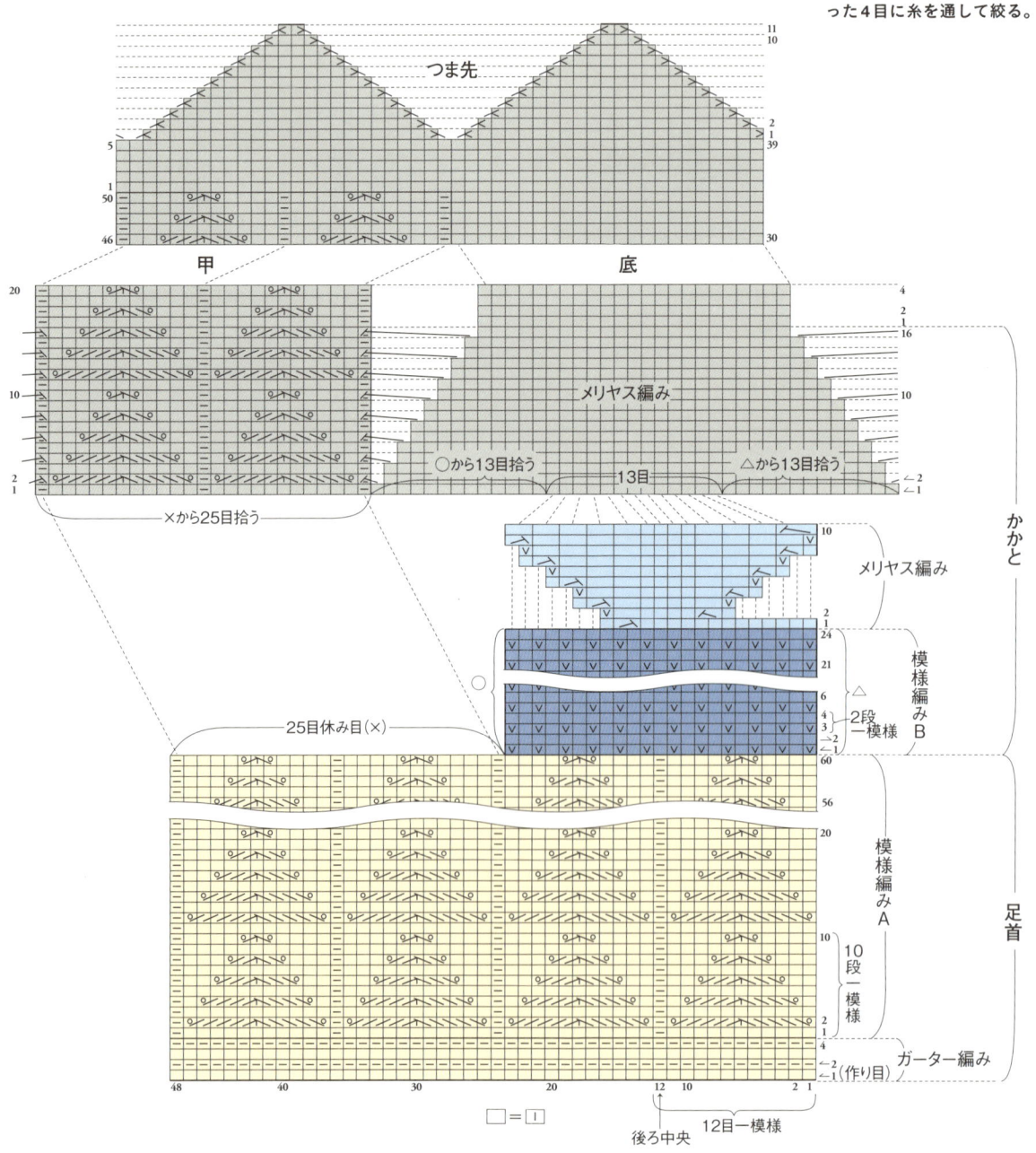

つま先

甲　底

メリヤス編み

○から13目拾う　13目　△から13目拾う

×から25目拾う

メリヤス編み

模様編みB
2段一模様

25目休み目（×）

模様編みA
10段一模様

ガーター編み
（作り目）

12目一模様
後ろ中央

かかと

足首

□ = |

編みはじめる前に

作品を編む前に、ゲージをとりましょう。
ゲージとは、編み地10cm当りの目数×段数を表わしたもので、サイズどおりに編む目安となります。
指定ゲージより目数・段数が多い場合は針を太く、少ない場合は針を細くして調整するといいでしょう。

この本の掲載作品は、以下の糸を使用しています。
糸の特性によって、サイズや編み地の出方などにも違いが出ますので、
素材や仕立てなどの情報を糸選びの参考にしてください。

□ ヴィシュ／ⓐ
太さ … 合太
品質 … ウール100％
仕立て … 100g玉巻き（約300m）

□ エクセレント／ⓑ
太さ … 極太
品質 … アルパカ100％
仕立て … 40g玉巻き（約80m）

□ カルペディエム／ⓒ
太さ … 極太
品質 … ウール70％
　　　　アルパカ30％
仕立て … 50g玉巻き（約90m）

□ クイーンアニー／ⓒ
太さ … 並太
品質 … ウール100％
仕立て … 50g玉巻き（約97m）

□ サンバラツイード／ⓒ
太さ … 並太
品質 … ウール78％
　　　　アルパカ20％
　　　　レーヨン2％
仕立て … 40g玉巻き（約85m）

□ シェットランド／ⓒ
太さ … 並太
品質 … ウール100％
　　　　（英国羊毛100％使用）
仕立て … 40g玉巻き（約90m）

□ ダイヤイーノ＜ストレート＞／ⓓ
太さ … 極太
品質 … ウール100％
仕立て … 40g玉巻き（約87m）

□ ダイヤエポカ／ⓓ
太さ … 並太
品質 … ウール100％
　　　　（メリノウール）
仕立て … 40g玉巻き（約81m）

□ ダイヤゴールド（中細）／ⓓ
太さ … 中細
品質 … ウール100％
仕立て … 50g玉巻き（約200m）

□ プロヴァンスのメリノ／ⓔ
太さ … 極太
品質 … ウール100％
　　　　（メリノウール）
仕立て … 40g玉巻き（約60m）

□ ブリティッシュエロイカ／ⓒ
太さ … 極太
品質 … ウール100％
　　　　（英国羊毛50％以上使用）
仕立て … 50g玉巻き（約83m）

□ ミニスポーツ／ⓒ
太さ … 極太
品質 … ウール100％
仕立て … 50g玉巻き（約72m）

ⓐオステルヨートランド　ⓑクロバー　ⓒパピー　ⓓダイヤ毛糸　ⓔDARUMA
毛糸に関するお問合せ先は、80ページをごらんください。商品情報は、2009年8月現在のものです。

P.06 親子ミトン

P.06をA、P.07をBとする。
[糸]　A パピー ミニスポーツ　オフホワイト（700）、ピンク（708）各50g
　　　B パピー シェットランド　青（17）、オフホワイト（8）各30g
[用具]　A 5号、6号4本棒針　B 3号、4号4本棒針
[ゲージ]　メリヤス編みの編込み模様　A 23目25段が10cm四方　B 27目30段が10cm四方
[サイズ]　A てのひら回り21cm、長さ23.5cm（婦人用）　B てのひら回り18cm、長さ19cm（7〜9歳用）
[編み方]　糸は1本どりで編みます。指定以外はA、〈　〉内はB。

指に糸をかける方法で32目作り目して輪にし、5号針〈3号針〉でガーター編みを編みます。6号針〈4号針〉に替えて48目に増し、メリヤス編みの編込み模様で編みますが、親指穴の下側は別糸を通して目を休め、上側は目を作ります（P.18参照）。指先を図のように減らし、残った4目に糸を通して絞ります。別糸を抜いて目を拾い、親指を編みます。右手は対称に編みます。

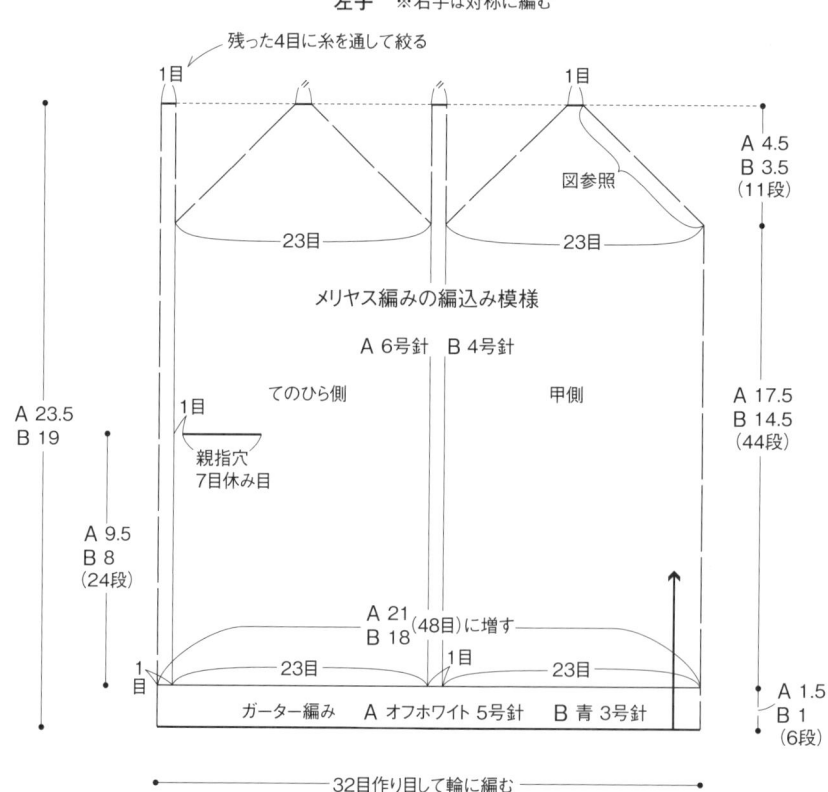

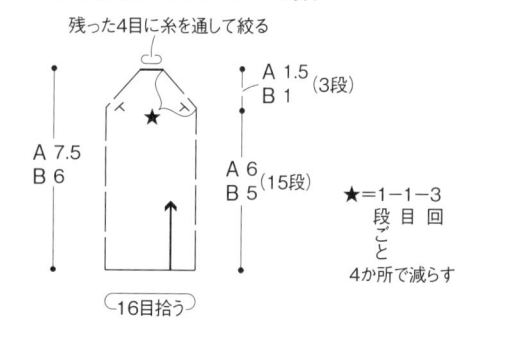

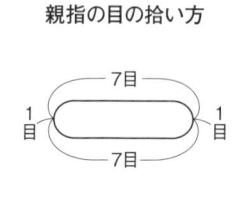

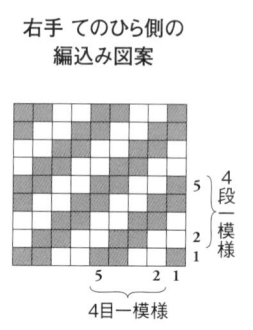

左手

てのひら側　　　　　　　　　甲側

親指穴

メリヤス編みの編込み模様

ガーター編み

P.78[裏に渡る糸が長くなるとき]参照　　目と目の間に渡った糸をねじって増す

1(作り目)

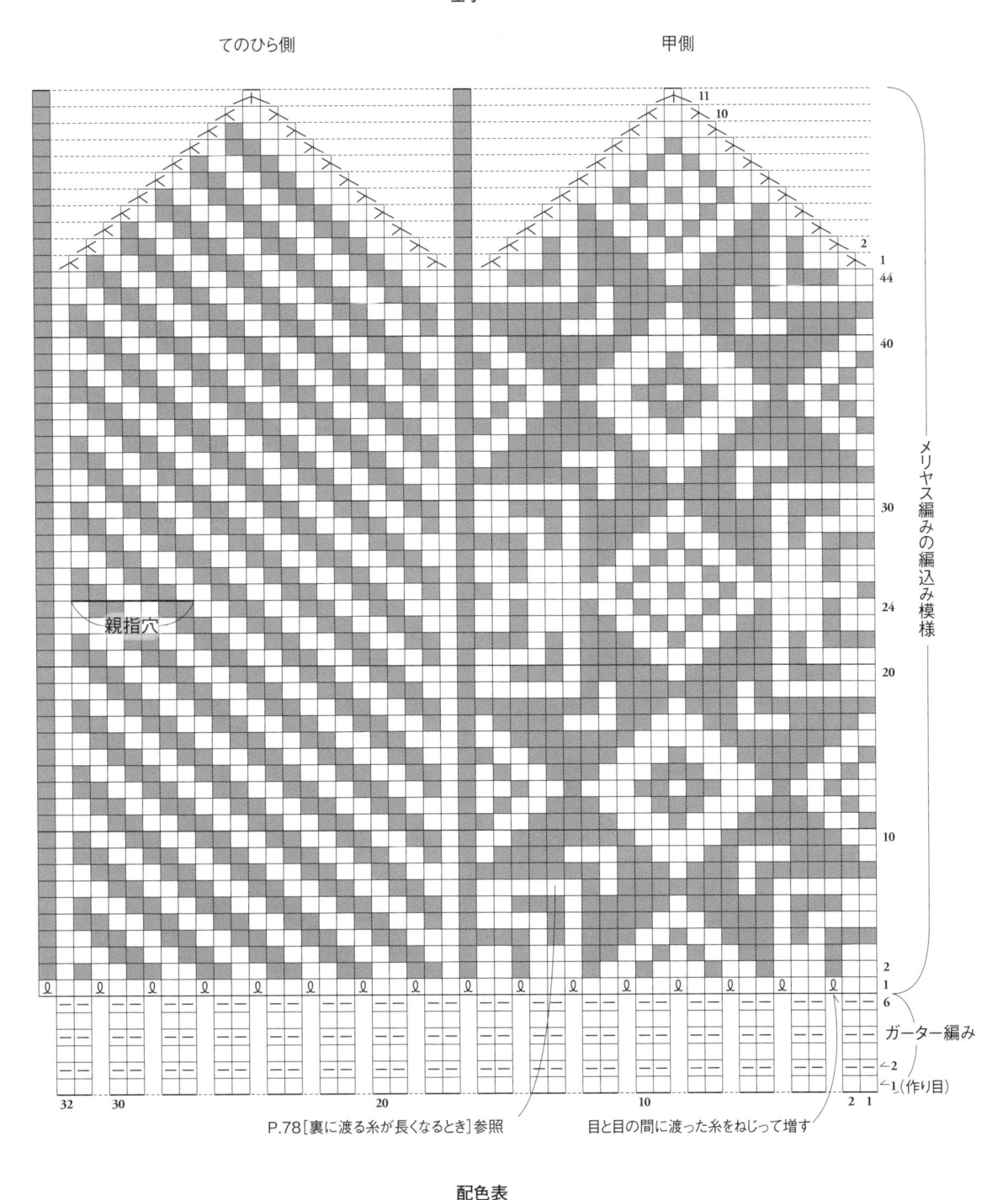

配色表

	□	■
A	オフホワイト	ピンク
B	青	オフホワイト

□ = |

43

P.08 ローズポールのミトン

P.08、P.09左から、A、B、Cとする。
[糸] A ダイヤゴールド（中細） グリーン（318）30g、白にグレーの混り糸（174）25g
　　 B オステルヨートランド ヴィシュ　グレー（4）、ライムグリーン（8）各30g
　　 C パピー ブリティッシュエロイカ　サンドベージュ（187）45g、こげ茶（181）40g
[用具] A 2号、3号4本棒針　B 3号、4号4本棒針　C 5号、6号4本棒針
[ゲージ] メリヤス編みの編込み模様　A 34目36段が10cm四方　B 28.5目33段が10cm四方　C 23目26段が10cm四方
[サイズ] A〜C てのひら回り21cm、長さ24.5cm
[編み方] 糸は1本どりで編みます。
指に糸をかける方法でAは56目、Bは48目、Cは40目作り目して輪にし、指定の針で、A、Cはねじり1目ゴム編み、Bは2目ゴム編みを編みますが、Cは縞模様を編み込みます。指定の針に替え、Aは72目、Bは60目、Cは48目に増し、メリヤス編みの編込み模様で編みますが、親指穴の下側は別糸を通して目を休め、上側は目を作ります（P.18参照）。指先を図のように減らし、残った目に糸を通して絞ります。別糸を抜いて目を拾い、親指を編みます。右手は対称に編みます。

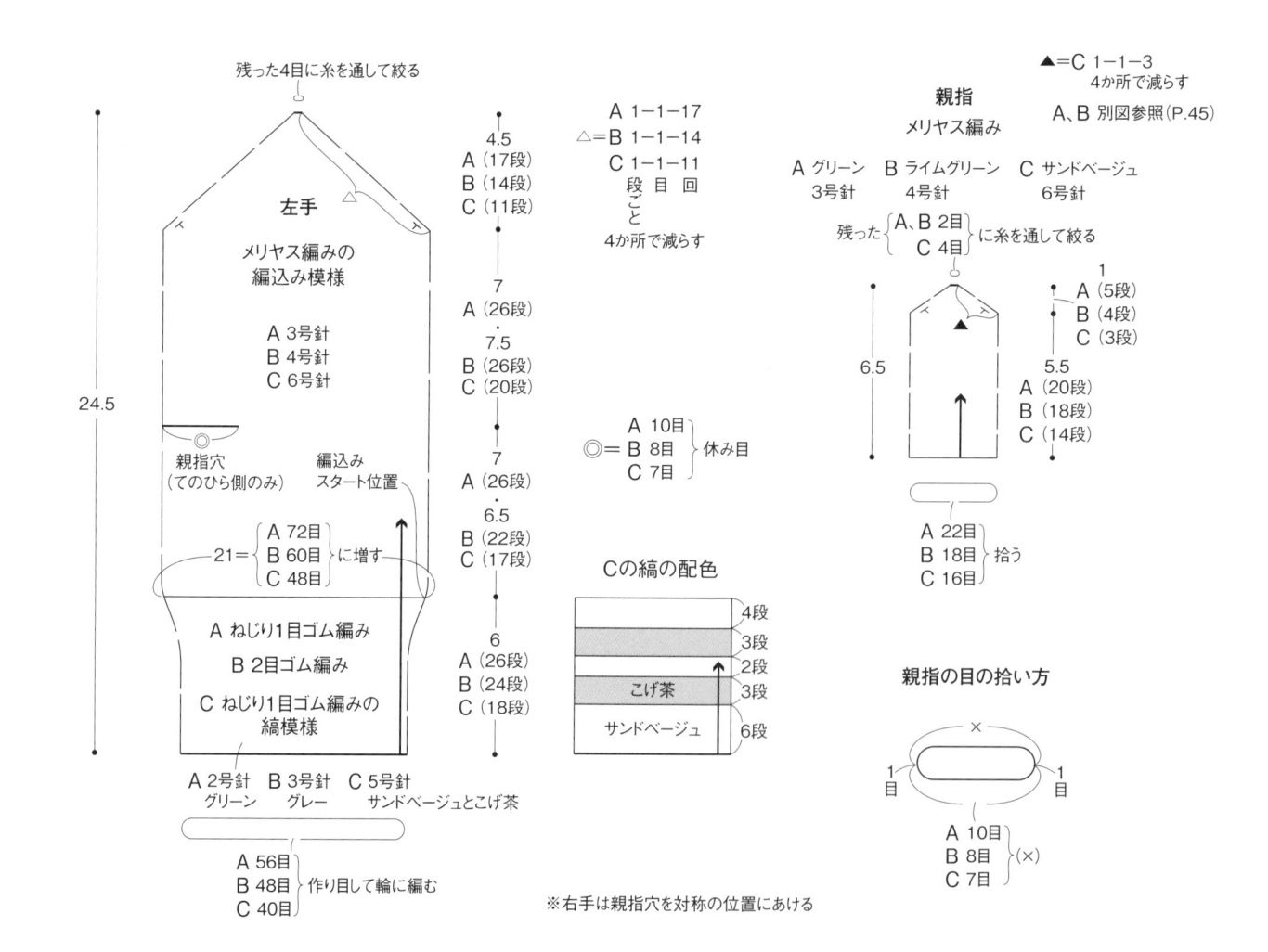

ねじり1目ゴム編み記号図

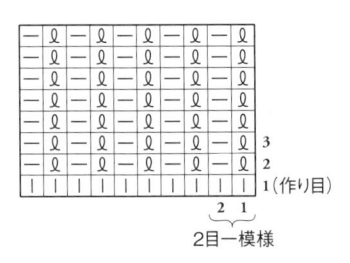

2目一模様

2目ゴム編み記号図

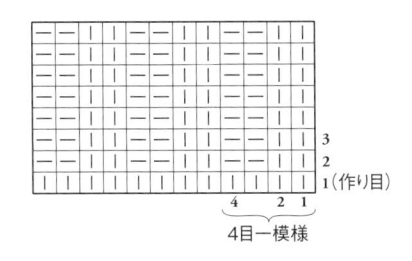

4目一模様

編込み図案

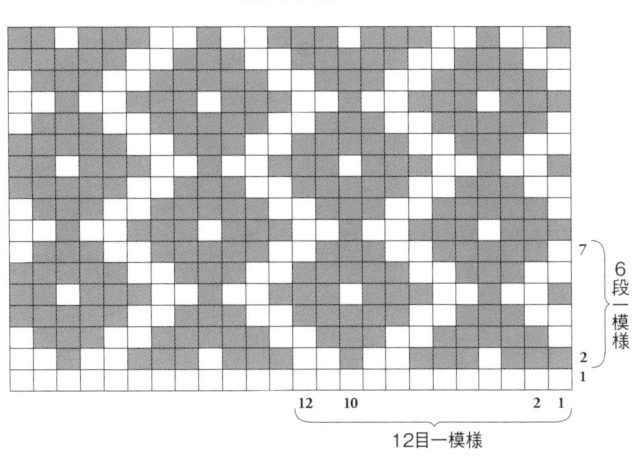

6段一模様

12目一模様

Cの指先の減し方（△）

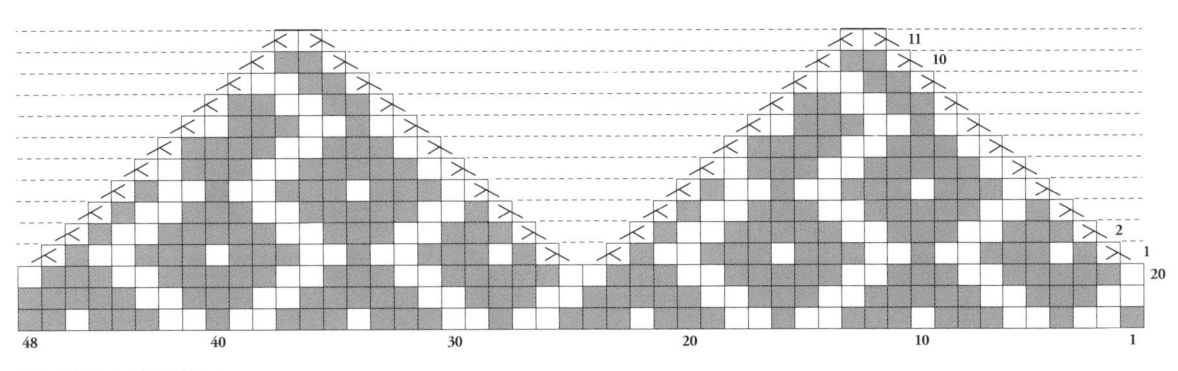

※A、Bは同じ要領で減らす

□ = |

Bの親指の減し方（▲）

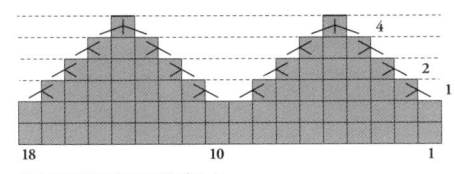

※Aは同じ要領で5段減らす

配色表

	□	■
A	グリーン	白にグレー
B	グレー	ライムグリーン
C	サンドベージュ	こげ茶

45

P.10 花のミトン

［糸］　　　ダイヤゴールド（中細）　紺（17）35g、赤（605）20g
［用具］　　2号4本棒針
［その他］　3×4mmのビーズ（穴の直径約1mm）赤70個
［ゲージ］　メリヤス編みの編込み模様　35目38段が10cm四方
［サイズ］　てのひら回り20.5cm、長さ24cm
［編み方］　糸は1本どりで編みます。

指に糸をかける方法で56目作り目して輪にし、ねじり1目ゴム編みを編みますが、指定の位置でビーズを編み込みます。72目に増し、メリヤス編みの編込み模様で編みますが、親指穴の下側は別糸を通して目を休め、上側は目を作ります（P.18参照）。指先を図のように減らし、残った4目に糸を通して絞ります。別糸を抜いて目を拾い、親指を編みます。右手は対称に編みます。

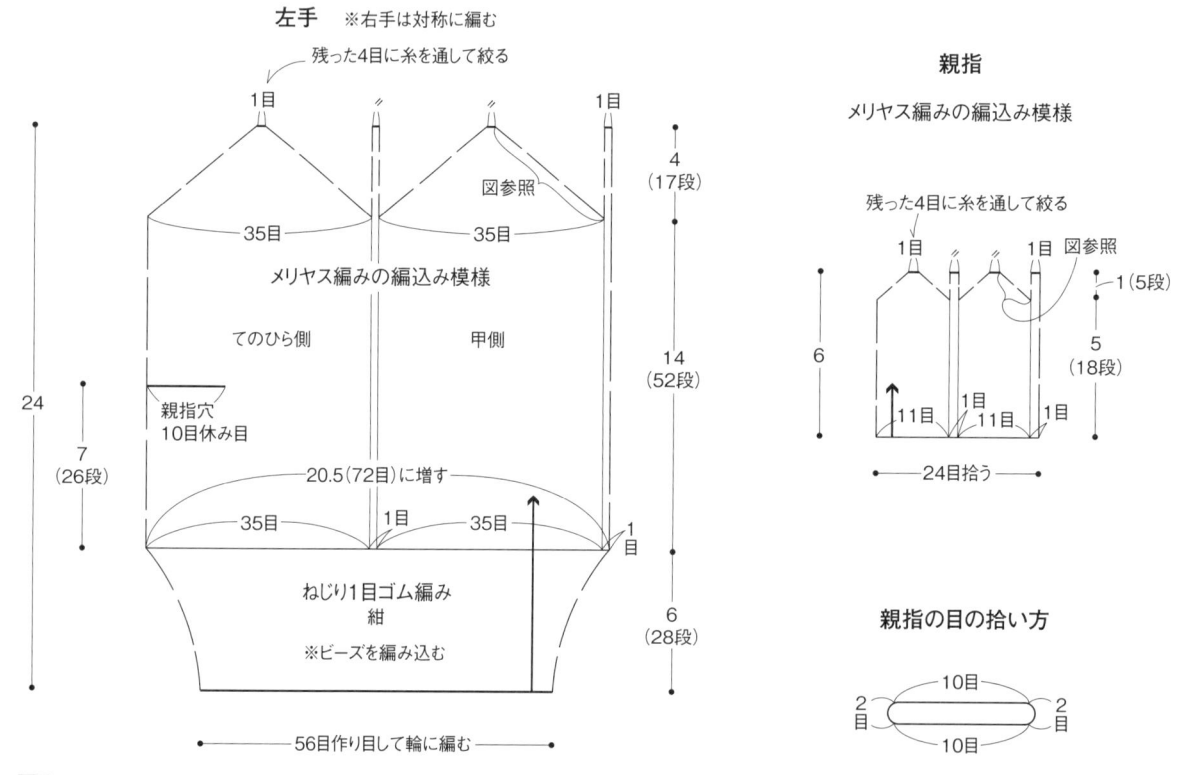

左手　※右手は対称に編む

親指　メリヤス編みの編込み模様

親指の目の拾い方

▽ の編み方

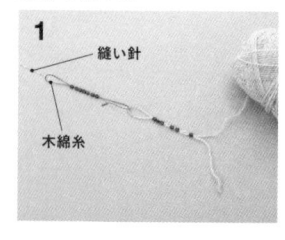

1 縫い針に通した木綿糸を輪にして結び、その輪に編む糸を通して折り返す。縫い針を通して編む糸にビーズを通す。使用分すべて通しておく。

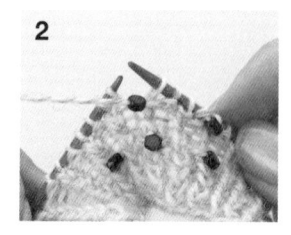

2 糸を手前におき、右針を向う側から入れて編まずに目を移す。ビーズを1個、移した目の上に寄せておく。

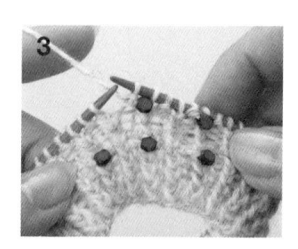

3 次の目を編む。ビーズが編み込まれたところ。

左手の編込み図案と指先の減し方

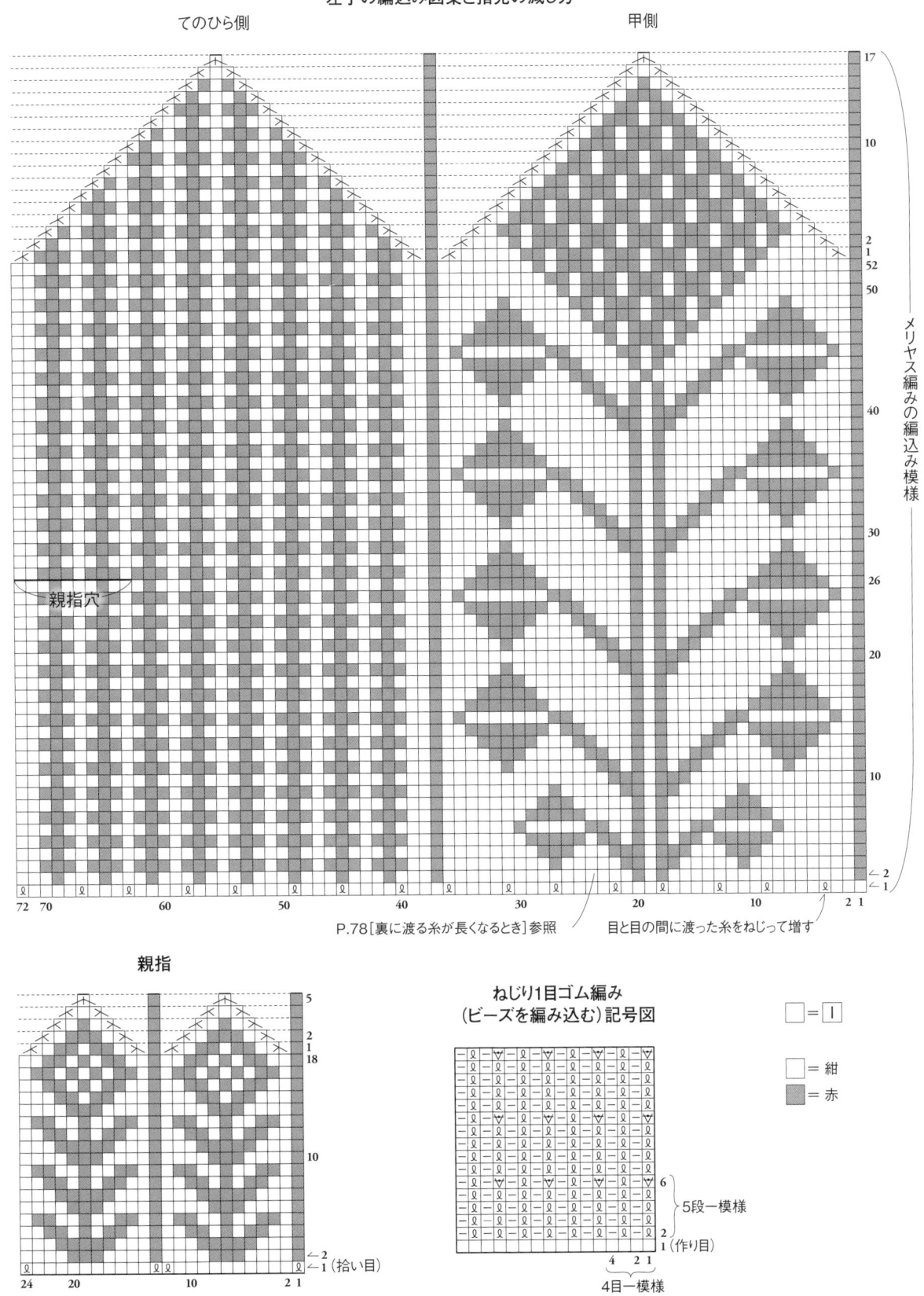

てのひら側　　　甲側

親指穴

メリヤス編みの編込み模様

P.78［裏に渡る糸が長くなるとき］参照　　目と目の間に渡った糸をねじって増す

親指

ねじり1目ゴム編み（ビーズを編み込む）記号図

□ = ①

□ = 紺
■ = 赤

5段一模様
4目一模様

1（作り目）

1（拾い目）

47

P.11 ライオンのミトン

[糸]　　ダイヤエポカ　ブルー（335）50g、オフホワイト（302）30g
[用具]　3号、4号4本棒針
[ゲージ]　メリヤス編みの編込み模様　26目32段が10cm四方
[サイズ]　てのひら回り22cm、長さ23.5cm
[編み方]　糸は1本どりで編みます。

指に糸をかける方法で48目作り目して輪にし、3号針でねじり1目ゴム編みを編みます。4号針に替えて49目に増し、メリヤス編みの編込み模様で編みますが、指定の位置で増し目をして親指のまちを作り、親指穴の下側は別糸を通して目を休め、上側は目を作ります（P.18参照）。指先を図のように減らし、残った2目に糸を通して絞ります。別糸を抜いて目を拾い、親指を編みます。右手は対称に編みます。

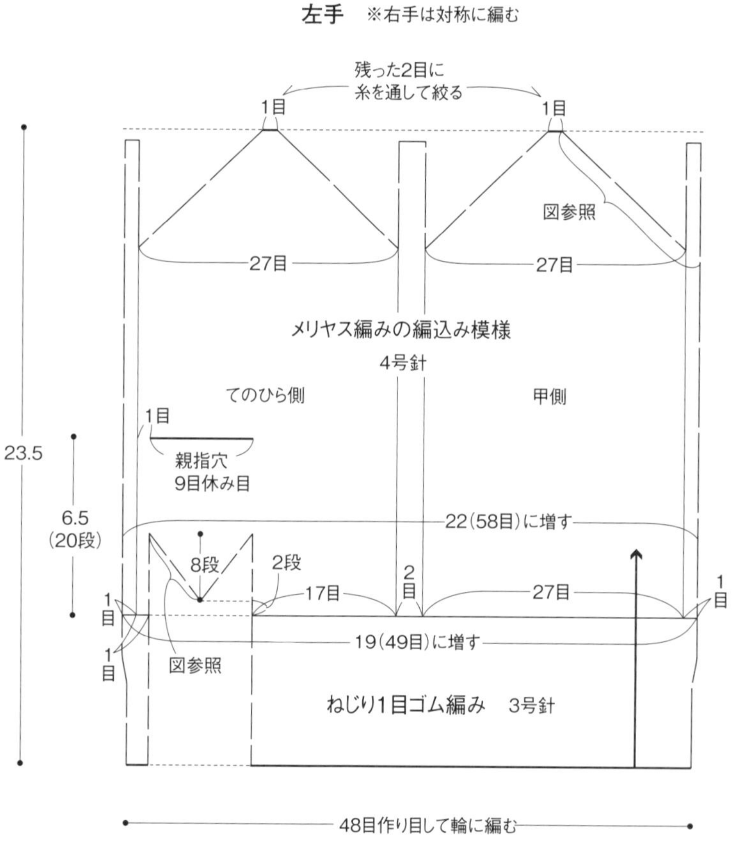

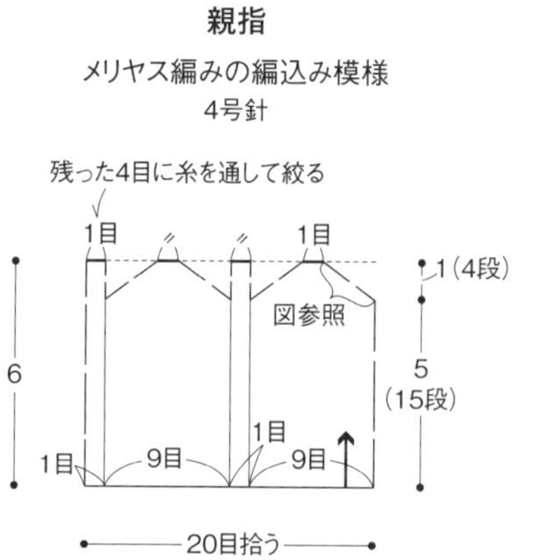

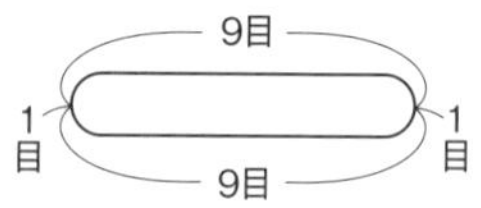

左手　※右手は対称に編む

親指
メリヤス編みの編込み模様
4号針

親指の目の拾い方

左手

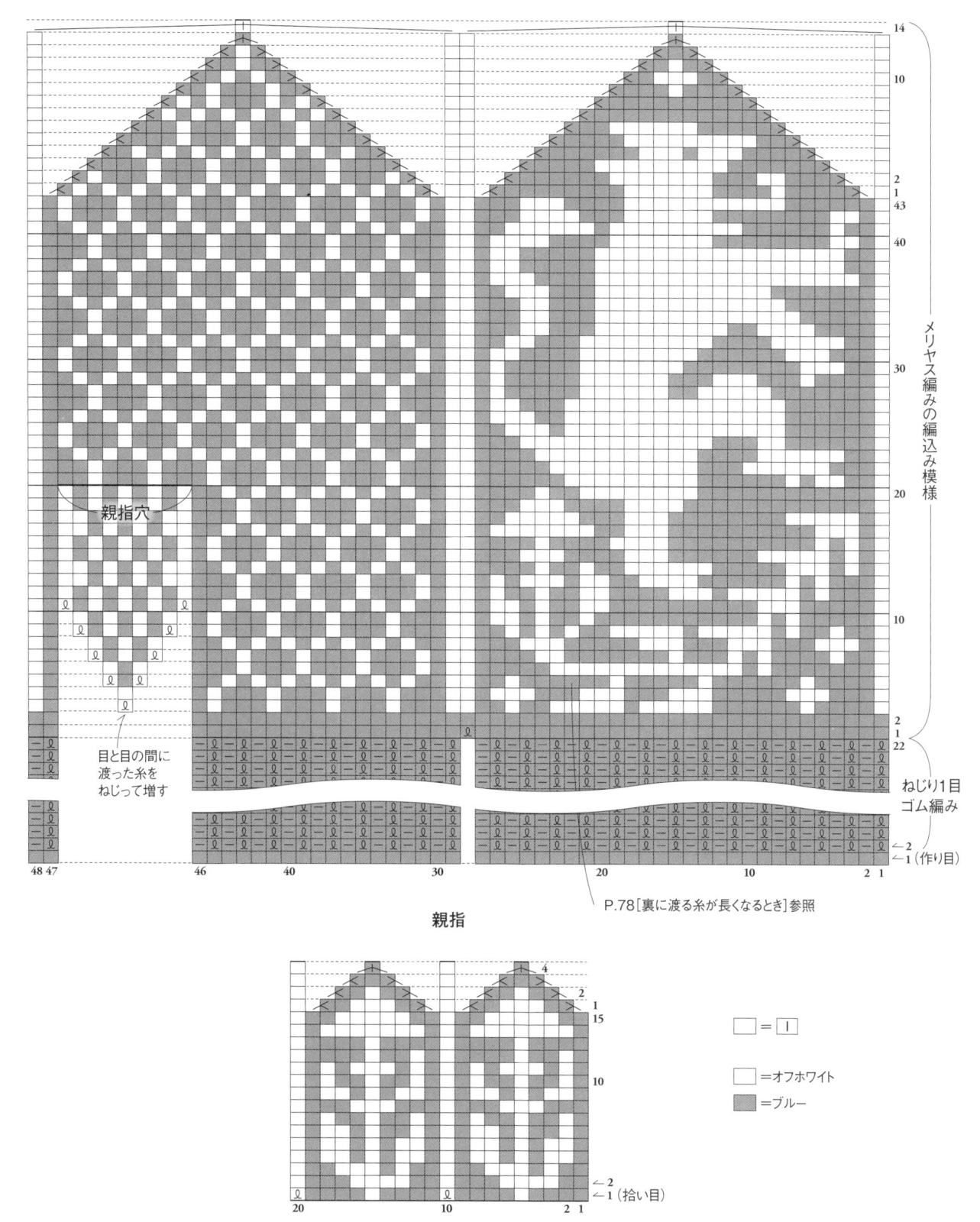

てのひら側　　　　　　　　　　　甲側

親指穴

目と目の間に
渡った糸を
ねじって増す

メリヤス編みの編込み模様

ねじり1目
ゴム編み

P.78[裏に渡る糸が長くなるとき]参照

親指

□ = | |

□ = オフホワイト
■ = ブルー

P.12 フォークロアミトン

[糸]　ダイヤゴールド（中細）　濃紺（148）、オフホワイト（222）各25g、赤（605）10g
[用具]　2号、3号4本棒針
[ゲージ]　編込み模様B　34目が10cm、23段が6cm　編込み模様C　34目37段が10cm四方
[サイズ]　てのひら回り21cm、長さ25.5cm
[編み方]　糸は1本どりで編みます。

指に糸をかける方法で42目作り目して輪にし、2号針で編込み模様Aを4段編みます（作り目と2、3段めで糸を替えるため最初の3段は輪になりませんが、糸始末ではぎ合わせるように間を埋めます）。56目に増し、編込み模様Bを23段編みます。3号針に替えて72目に増し、編込み模様Cを編みますが、親指穴の下側は別糸を通して目を休め、上側は目を作ります（P.18参照）。指先を図のように減らし、残った4目に糸を通して絞ります。別糸を抜いて目を拾い、親指を編みます。右手は対称に編みます。

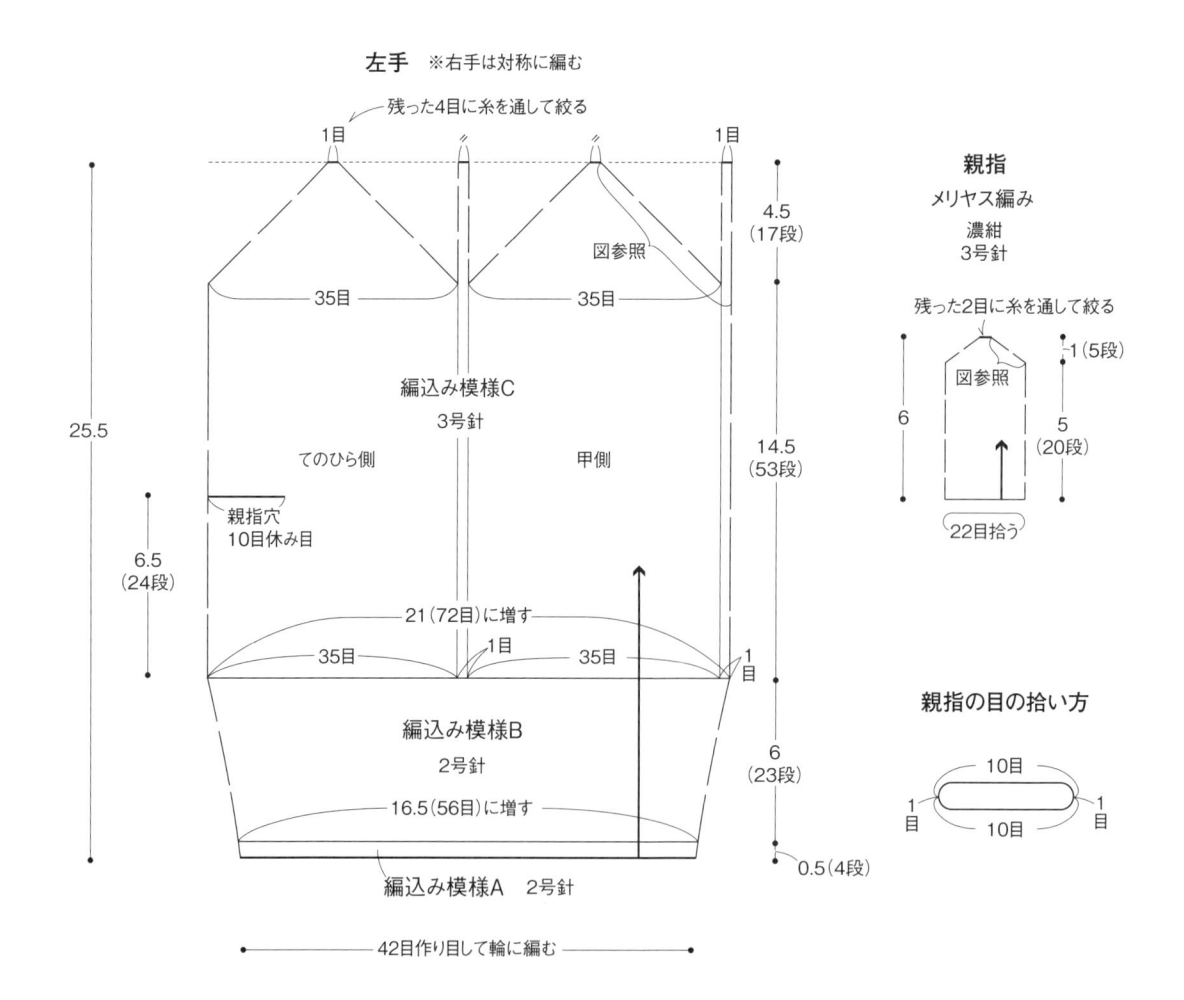

左手　※右手は対称に編む

残った4目に糸を通して絞る

1目　　　　　　　　　　1目

35目　　　　図参照
　　　　　　35目

編込み模様C
3号針

てのひら側　　甲側

親指穴
10目休み目

21（72目）に増す
35目　　1目　35目　1目

編込み模様B
2号針

16.5（56目）に増す

編込み模様A　2号針

42目作り目して輪に編む

25.5
6.5（24段）
4.5（17段）
14.5（53段）
6（23段）
0.5（4段）

親指
メリヤス編み
濃紺
3号針

残った2目に糸を通して絞る

図参照

6
1（5段）
5（20段）

22目拾う

親指の目の拾い方

10目
1目　　　1目
10目

左手　てのひら側　　　　　　　　　甲側

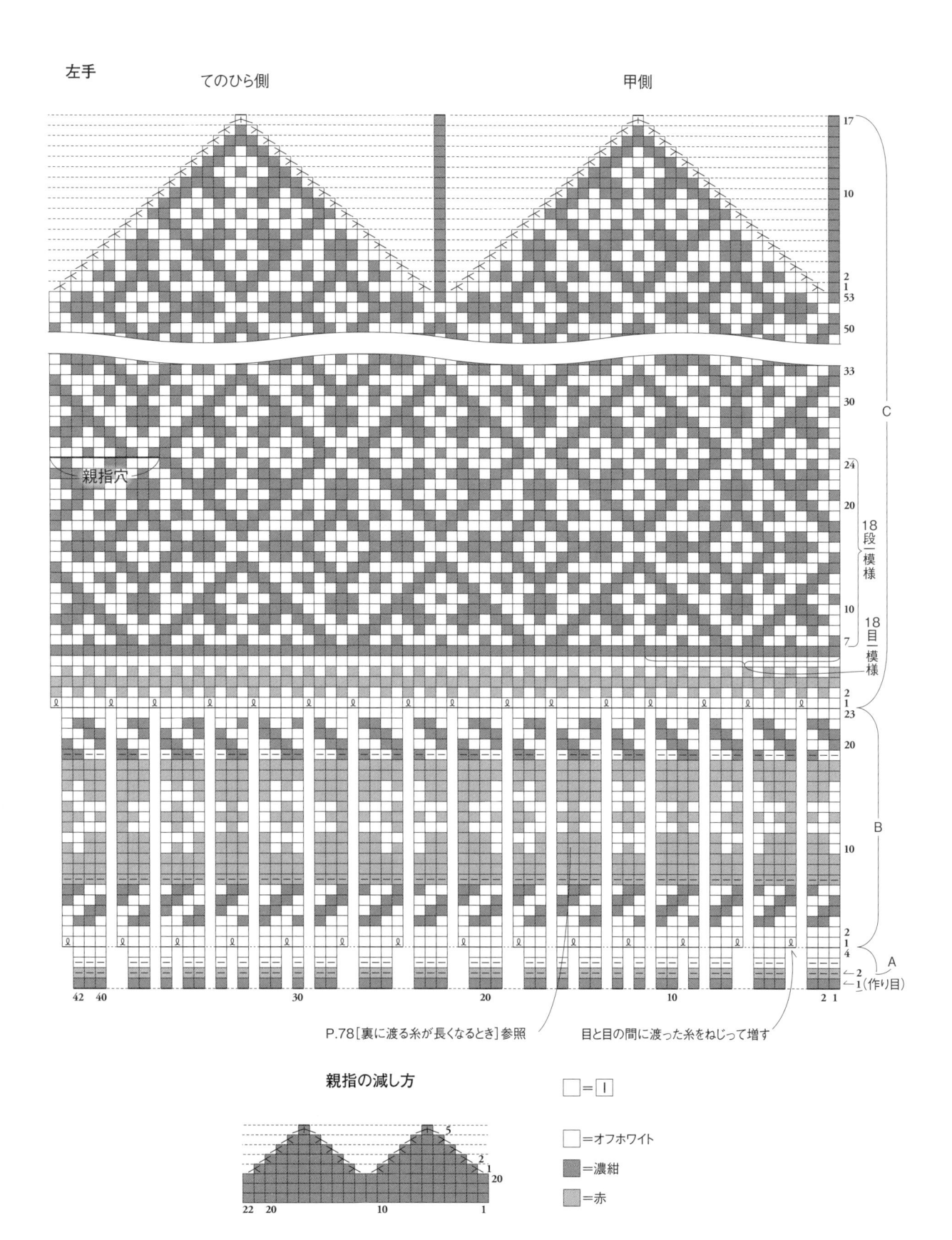

親指穴

18段一模様

18目一模様

P.78[裏に渡る糸が長くなるとき]参照　　目と目の間に渡った糸をねじって増す

親指の減し方

□ = |

□ = オフホワイト
■ = 濃紺
■ = 赤

P.14 木と実のミトン

P.14左から、A、B、C、D、Eとする。P.15はE。

- [糸] DARUMA プロヴァンスのメリノ　A 赤（6）、D オフホワイト（1）各70g
  パピー ブリティッシュエロイカ　B 茶色（192）、C コーンイエロー（191）、E ピーコックグリーン（184）各75g
- [用具] A、D 9号、12号4本棒針　B、C、E 8号、10号4本棒針
- [ゲージ] ねじり1目ゴム編み、模様編み　24目25段が10cm四方
- [サイズ] てのひら回り17cm、長さ23cm
- [編み方] 糸は1本どりで編みます。指定以外はA、D、〈　〉内はB、C、E。

指に糸をかける方法で40目作り目して輪にし、9号針〈8号針〉でねじり1目ゴム編みを編みます。12号針〈10号針〉に替えて甲側の中央は模様編みを入れて編みますが、指定の位置で増し目をして親指のまちをメリヤス編みで16段編みます。親指のまちを休み目して、甲側とてのひら側を続けて編み、指先を図のように減らし、残った2目に糸を通して絞ります。休めておいた親指のまちから目を拾い、9号針〈8号針〉で親指を編みます。右手は対称に編みます。

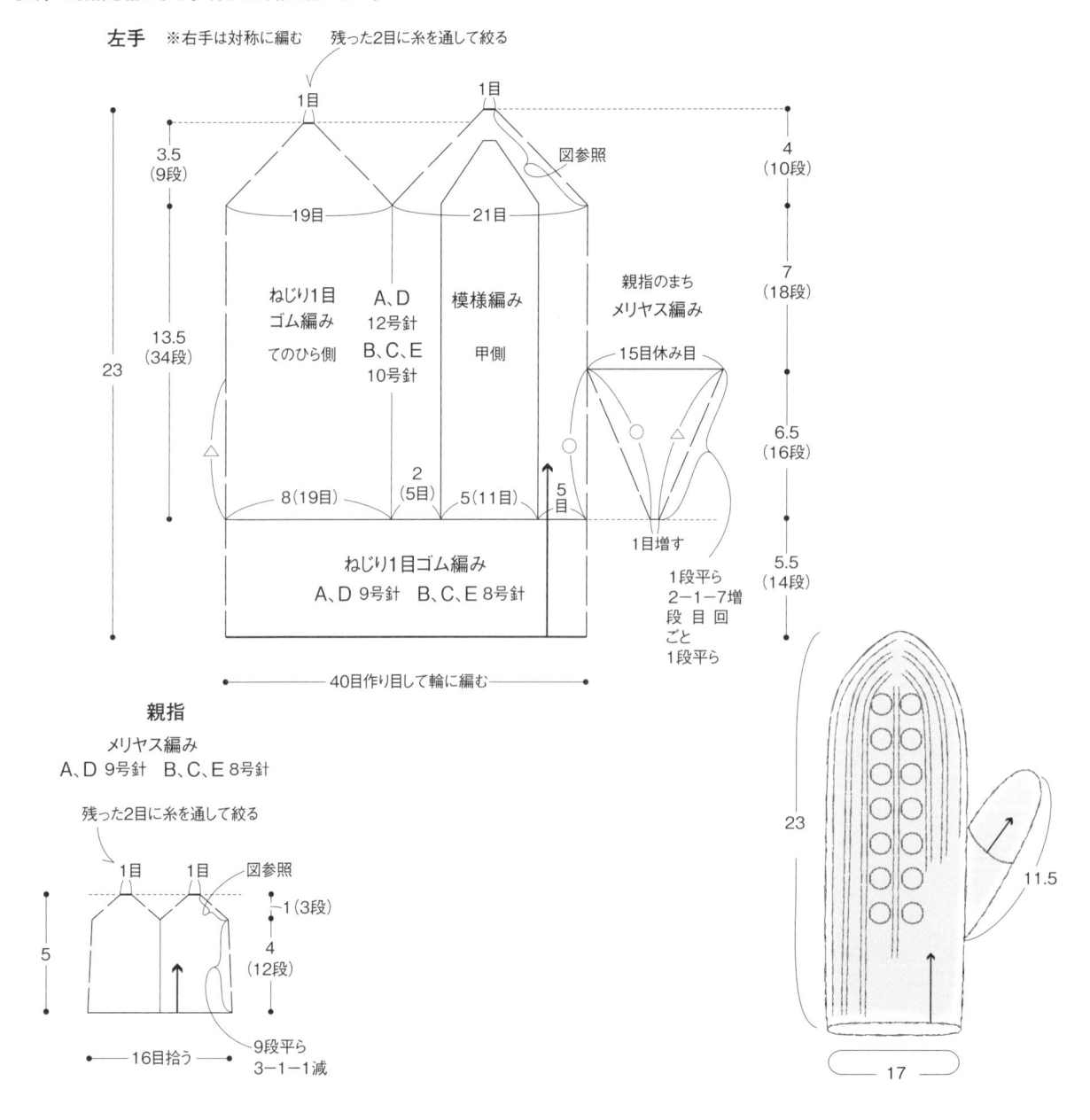

左手

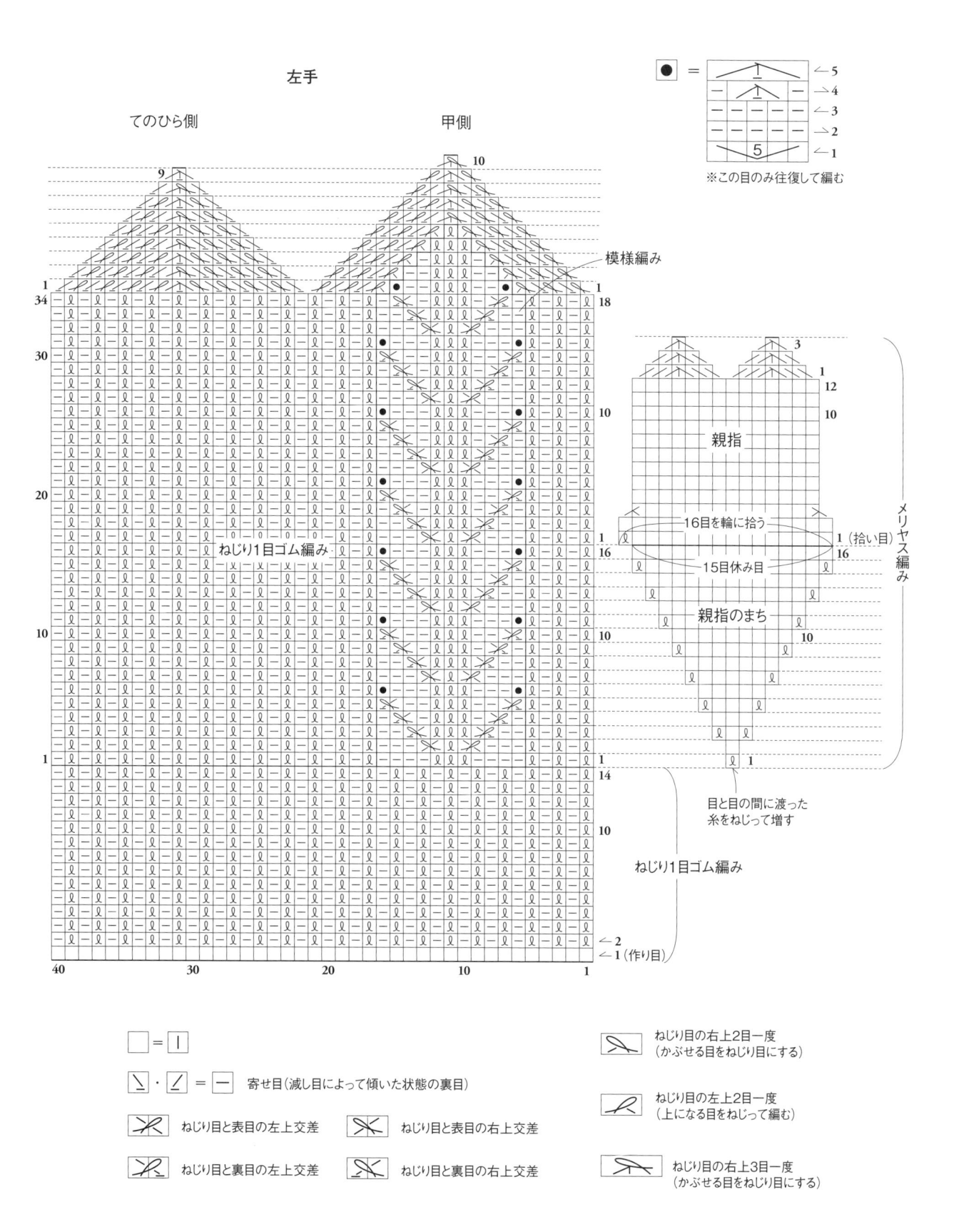

てのひら側　甲側

模様編み

ねじり1目ゴム編み

親指

16目を輪に拾う　1（拾い目）
15目休み目

親指のまち

メリヤス編み

目と目の間に渡った
糸をねじって増す

ねじり1目ゴム編み

1（作り目）

※この目のみ往復して編む

□ = |

╲・╱ = － 寄せ目（減し目によって傾いた状態の裏目）

ねじり目と表目の左上交差　ねじり目と表目の右上交差

ねじり目と裏目の左上交差　ねじり目と裏目の右上交差

ねじり目の右上2目一度（かぶせる目をねじり目にする）

ねじり目の左上2目一度（上になる目をねじって編む）

ねじり目の右上3目一度（かぶせる目をねじり目にする）

P.20 ヘリンボーンのベレー

[糸]　　　パピー ブリティッシュエロイカ　水色にピンクの混り糸（188）75g
[用具]　　7号、10号4本棒針
[ゲージ]　模様編み　21目26段が10cm四方
[サイズ]　頭回り60cm、深さ21.5cm
[編み方]　糸は1本どりで編みます。

指に糸をかける方法で98目作り目して輪にし、7号針でねじり1目ゴム編みを編みます。10号針に替えて126目に増し、模様編みを編んでトップを図のように減らします。7号針に替えてメリヤス編みを編み、残った6目に糸を通して絞ります。

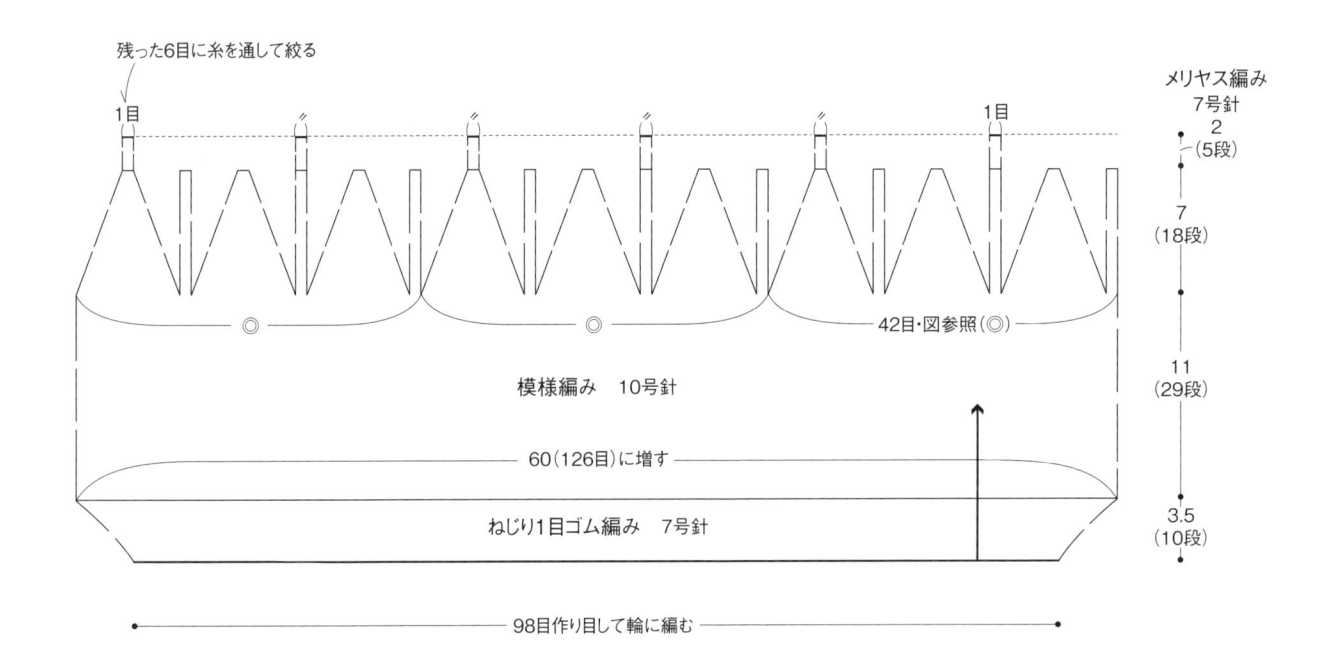

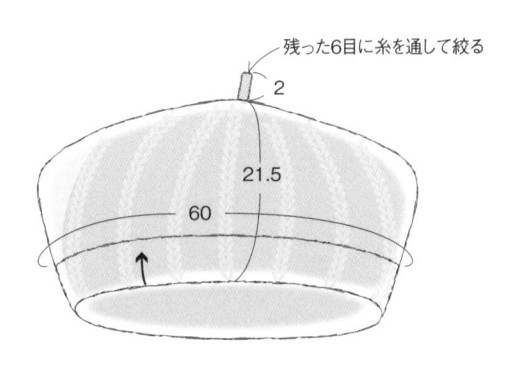

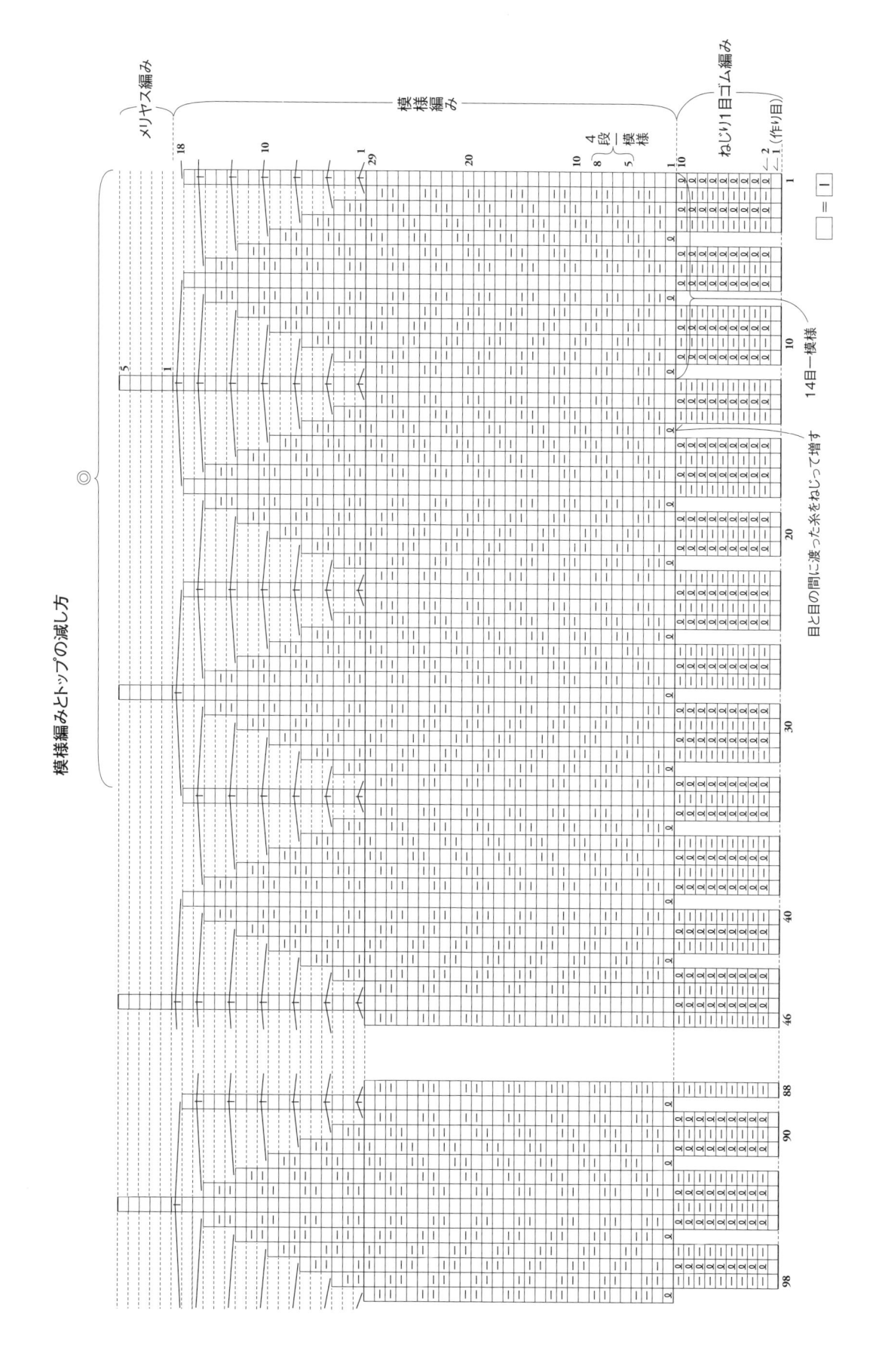

模様編みとトップの減し方

メリヤス編み　模様編み　ねじり1目ゴム編み

4段一模様
14目一模様

目と目の間に渡った糸をねじって増す

□ = |

P.21 ガーター編みのキャップ

[糸]　パピー ミニスポーツ　紺（429）100g
[用具]　10号2本棒針
[ゲージ]　ガーター編み（1本どり）
　　　　18目31段が10cm四方
[サイズ]　頭回り49.5cm、深さ19cm
[編み方]　糸は指定以外1本どりで編みます。
クラウンは、指に糸をかける方法で34目作り目し、ガーター編みで引返し編みをしながら図のように編んで伏止めをします。編始めと編終りをメリヤスはぎします。トップの14段に糸を通して絞ります。ブリムは糸を2本どりで指に糸をかける方法で24目作り目し、図のように減らしながら編んで伏止めをします。クラウンのはぎ目が後ろ中央になるようにブリムを表、裏側からまつりつけます。ポンポンを作ってトップにつけます。

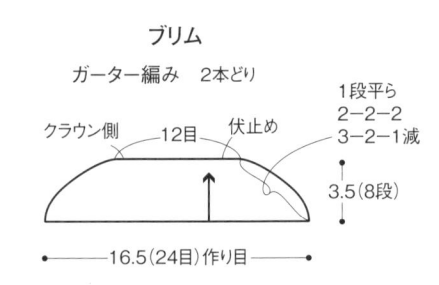

クラウン　ガーター編み
後ろ中央／伏止め
1段／2段／2段／2段／2段／2段／2段／2段／20段／1段
4.5（14段）
49.5（154段）
トップ側
24目／10目
2-1-10　段ごと目 回　引き返す（◎）
19（34目）作り目
後ろ中央

ブリム　ガーター編み　2本どり
クラウン側　12目　伏止め
1段平ら
2-2-2
3-2-1減
3.5（8段）
16.5（24目）作り目

引返し編みの編み方

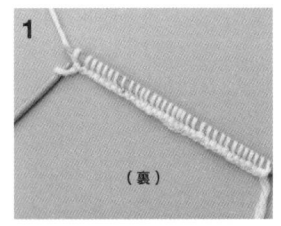

1　2段め編終り。1目編み残す。（裏）

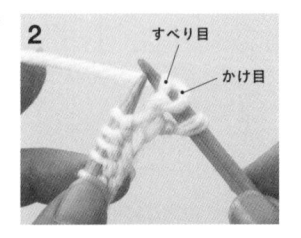

2　3段め。表に返し、かけ目とすべり目をする。　すべり目／かけ目

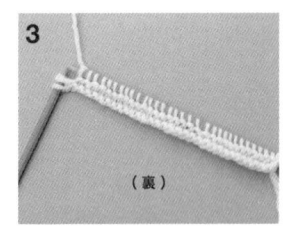

3　4段め編終り。同様に編み残す。（裏）

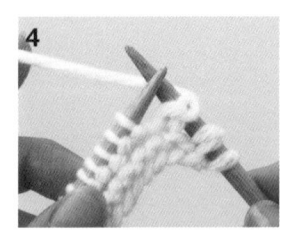

4　5段め。表に返し、かけ目とすべり目をする。

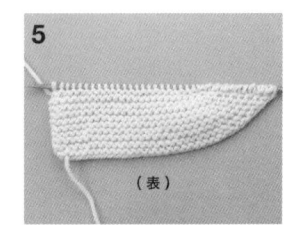

5　同じ要領で、21段編む。（表）

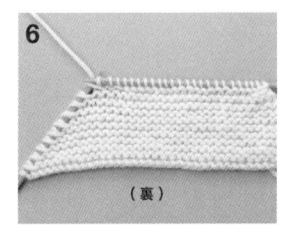

6　22段め。段消しをする。すべり目をした目まで編む。（裏）

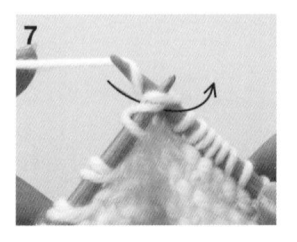

7　かけ目と次の目（ここではすべり目）を2目一度に編む。

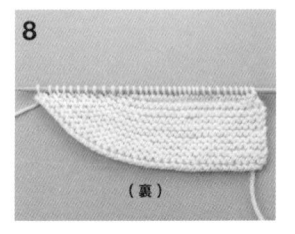

8　同様に2目一度を繰り返し、段消しが終わったところ。（裏）

ガーター編みとトップの減し方

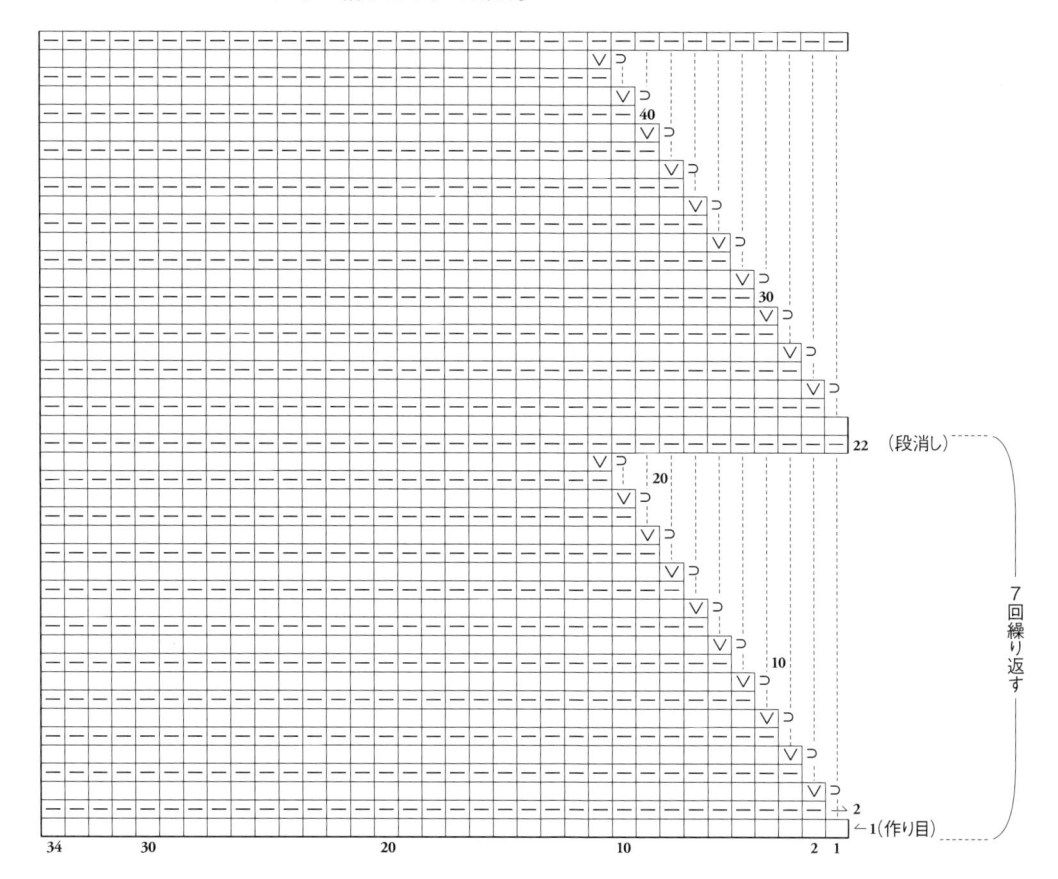

□ = |
⌒ = かけ目

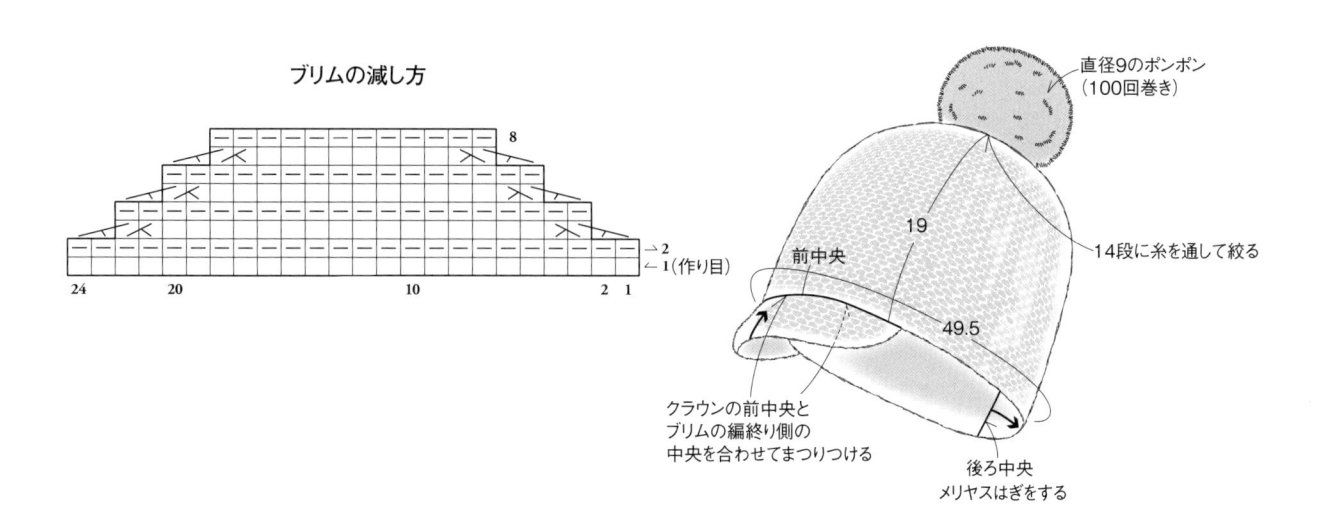

ブリムの減し方

- 直径9のポンポン（100回巻き）
- 14段に糸を通して絞る
- 前中央
- 後ろ中央 メリヤスはぎをする
- クラウンの前中央とブリムの編終り側の中央を合わせてまつりつける

19
49.5

7回繰り返す

P.22 ケーブルのキャップ

[糸]　　　パピー カルペディエム　オフホワイト（94）60g
[用具]　　10号2本、4本棒針
[その他]　1×1.8cmのボタン1個
[ゲージ]　模様編み　22目26.5段が10cm四方
[サイズ]　頭回り45.5cm、深さ20cm
[編み方]　糸は1本どりで編みます。

指に糸をかける方法で102目作り目し、途中でボタン穴をあけながら模様編みを往復で編みます。23段めで4本針に替え、最後の2目と次の段の最初の2目を1目ずつ重ねて編み、模様編みを輪に編みます。トップを図のように減らし、残った10目に糸を通して絞ります。ボタンを縫いつけます。

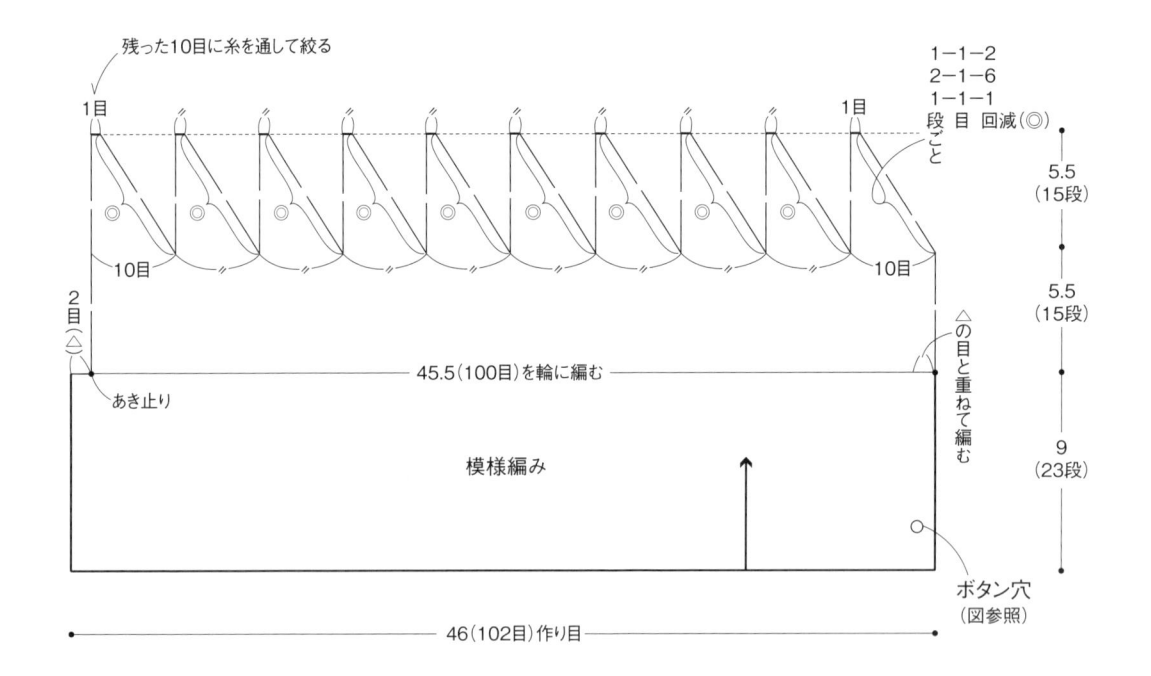

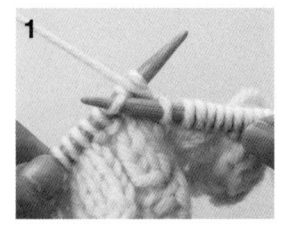

✕ の編み方

1 糸を左針と右針の間におき、左針の右から3目めに右針を入れる。

2 表目を編む。

3 同様に、左針の右から2目めを表目で編む。

4 同様に、左針の右端の目を表目で編む。3目め、2目め、右端の順に目が重なり、交差している。

模様編みとトップの減し方

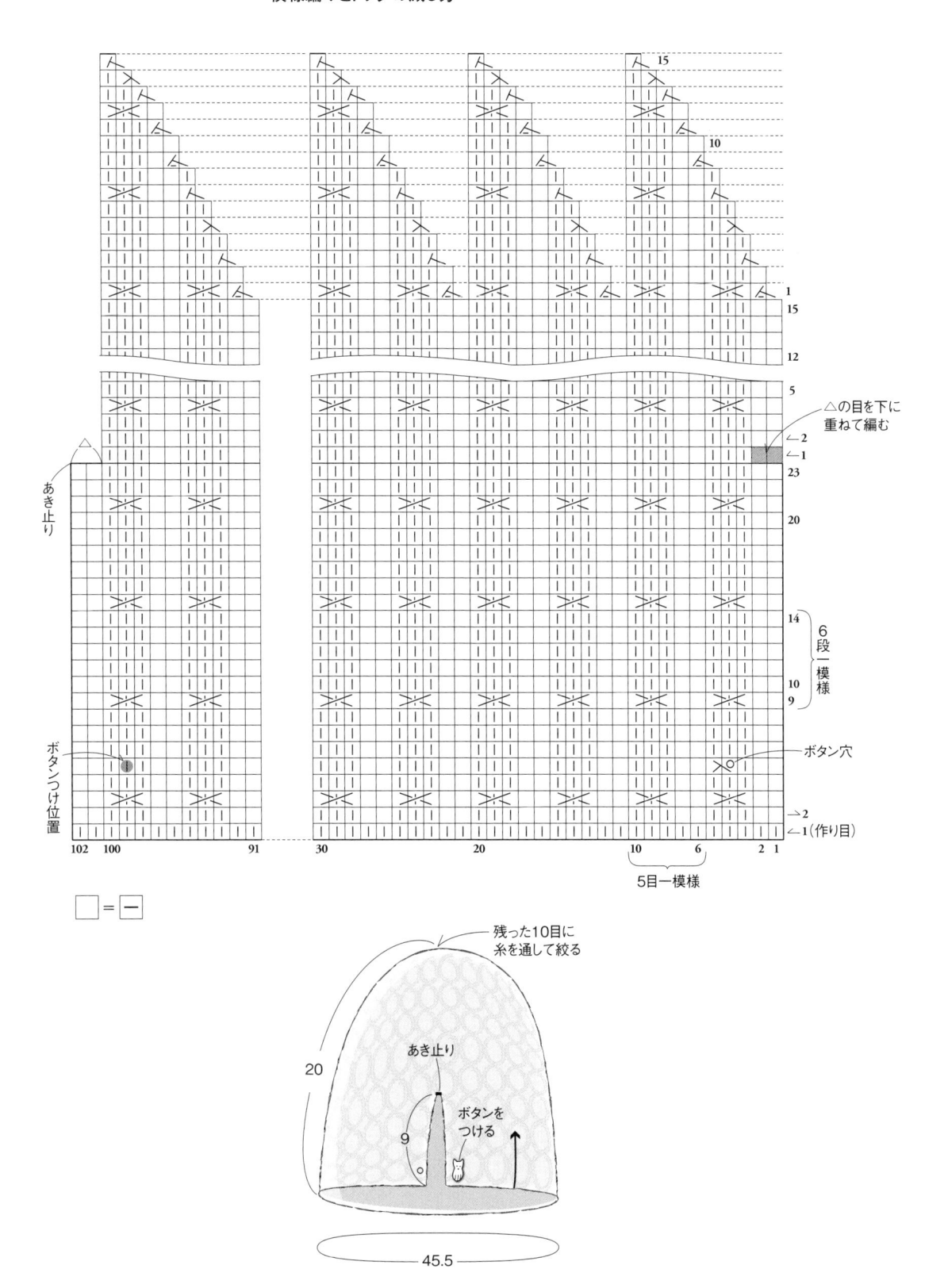

△の目を下に重ねて編む

あき止り

ボタンつけ位置

ボタン穴

6段一模様

5目一模様

→2
→1（作り目）

□ = −

残った10目に糸を通して絞る

あき止り

ボタンをつける

20

9

45.5

P.23 かのこ編みのキャップ

[糸] ダイヤイーノ＜ストレート＞ ボルドー色(519) 60g
[用具] 7号2本、4本棒針
[その他] 直径1.2cmのボタン 2個
[ゲージ] 模様編み 24目34段が10cm四方
[サイズ] 頭回り52.5cm、深さ20.5cm
[編み方] 糸は1本どりで編みます。

指に糸をかける方法で136目作り目し、途中でボタン穴をあけながら模様編みを往復で10段編み、10段めの端10目は伏止めをします。続けて、往復で27段編んだら、4本針に替えて輪に編みます。トップを図のように減らし、残った6目に糸を通して絞ります。ボタンを縫いつけます。

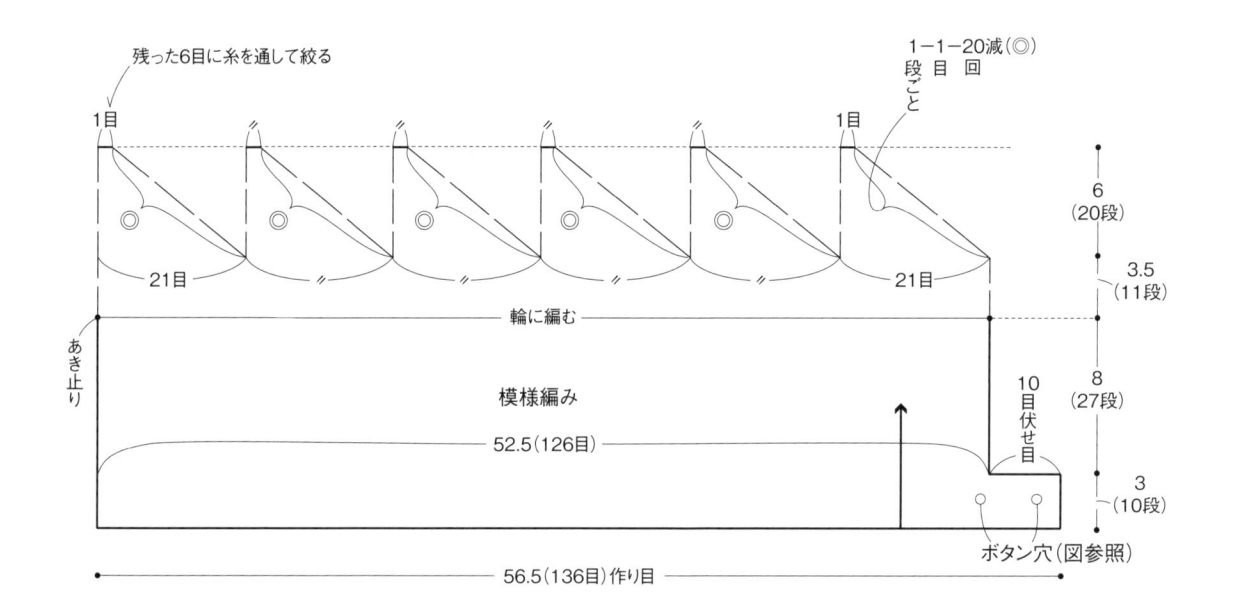

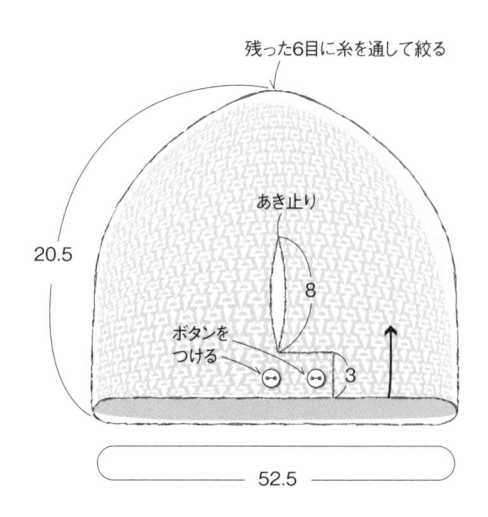

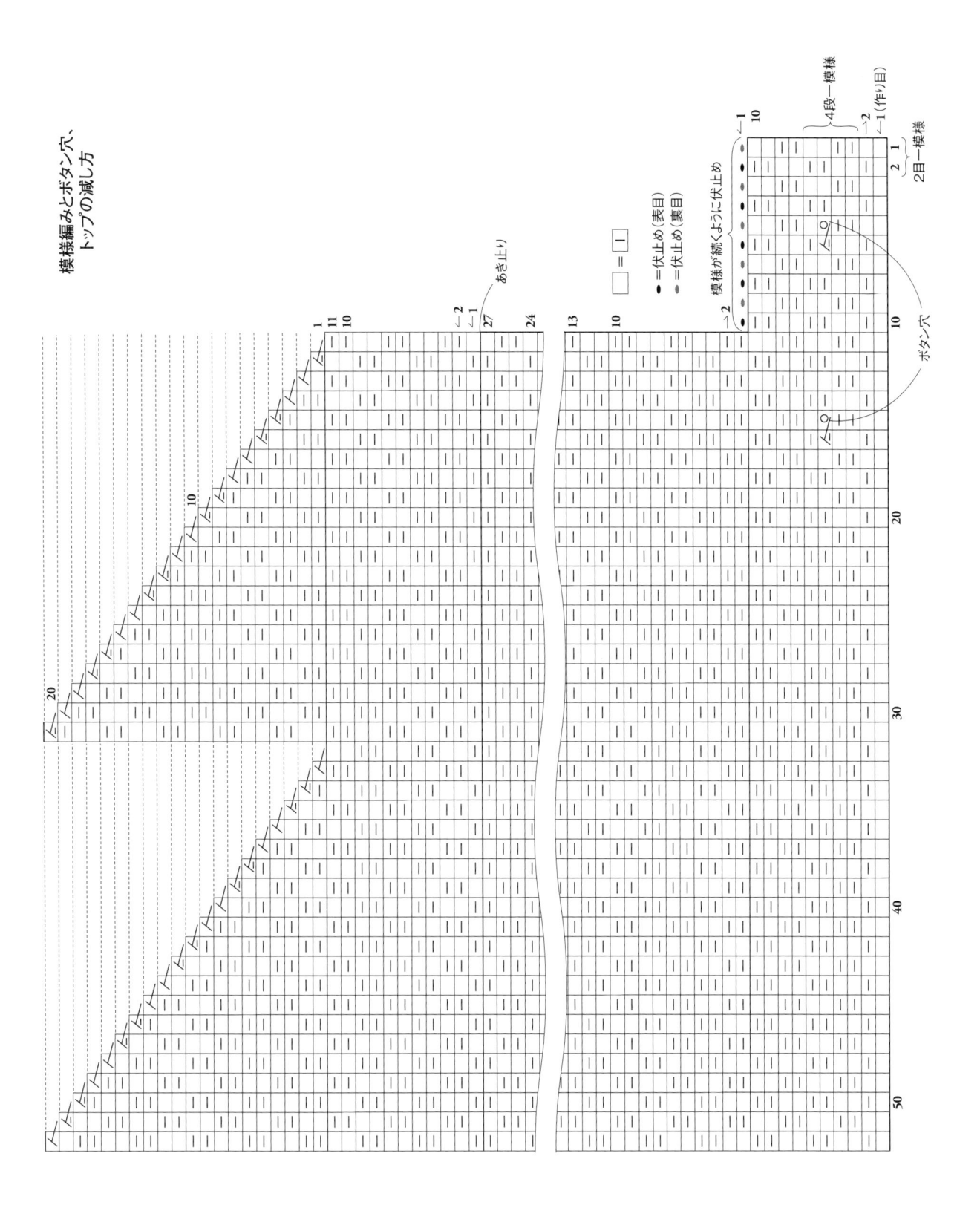

模様編みとボタン穴、トップの減らし方

□ = |
●─● = 伏止め(表目)
●─● = 伏止め(裏目)

模様が続くように伏止め

ボタン穴

あき止り

P.24 フェアアイル柄のベレー

P.24下からA、B、C、D、Eとする。P.25はA。

[糸]　パピー シェットランド
　　　A オフホワイト（8）35g、グレー（30）30g、チャコールグレー（31）10g、青（17）5g
　　　B オフホワイト（8）45g、グレー（30）20g、チャコールグレー（31）10g、グリーン（14）5g
　　　C サンドベージュ（7）45g、こげ茶（5）20g、茶色（42）10g、からし色（2）5g
　　　D 黒（32）45g、グレー（30）20g、オフホワイト（8）10g、水色（9）5g
　　　E チャコールグレー（31）35g、オフホワイト（8）20g、サンドベージュ（7）15g、れんが色（25）10g
[用具]　4号、6号4本棒針
[ゲージ]　メリヤス編みの編込み模様　28目26段が10cm四方
[サイズ]　頭回り57cm、深さ20cm
[編み方]　糸は1本どりで編みます。

指に糸をかける方法で120目作り目して輪にし、4号針で2目ゴム編みを編みます。6号針に替えて160目に増し、メリヤス編みの編込み模様を編んでトップを図のように減らします。4号針に替えてメリヤス編みを編み、残った5目に糸を通して絞ります。編み上がったら、ベレーの形に整えて水に数時間浸し、脱水して平らに干します。

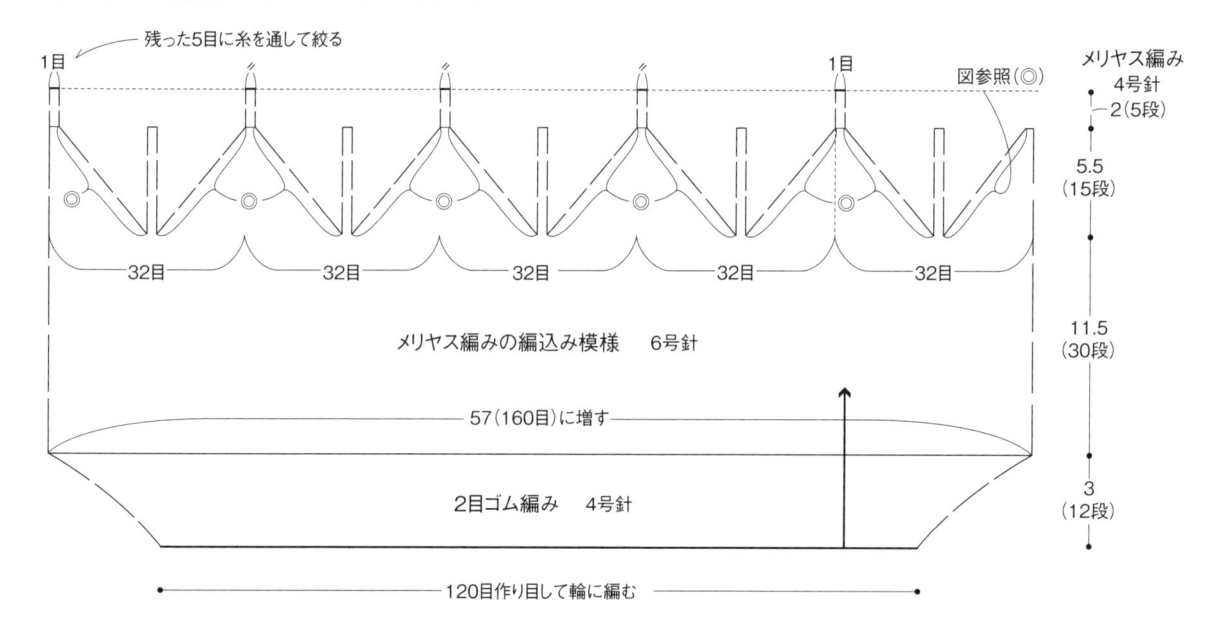

A・B・E 配色表

	2目ゴム編み	メリヤス編みの編込み模様 ☐	▨	▨	▨	●	メリヤス編み
A	グレー	オフホワイト	グレー	チャコールグレー		青	オフホワイト
B	オフホワイト	オフホワイト	グレー	チャコールグレー		グリーン	オフホワイト
E	チャコールグレー	オフホワイト	サンドベージュ	チャコールグレー		れんが色	チャコールグレー

C・D 配色表

	2目ゴム編み	メリヤス編みの編込み模様 ☐	▨	▨	▨	メリヤス編み
C	サンドベージュ	サンドベージュ	からし色	茶色	こげ茶	サンドベージュ
D	黒	黒	水色	オフホワイト	グレー	黒

A・B・E 編込み図案とトップの減し方

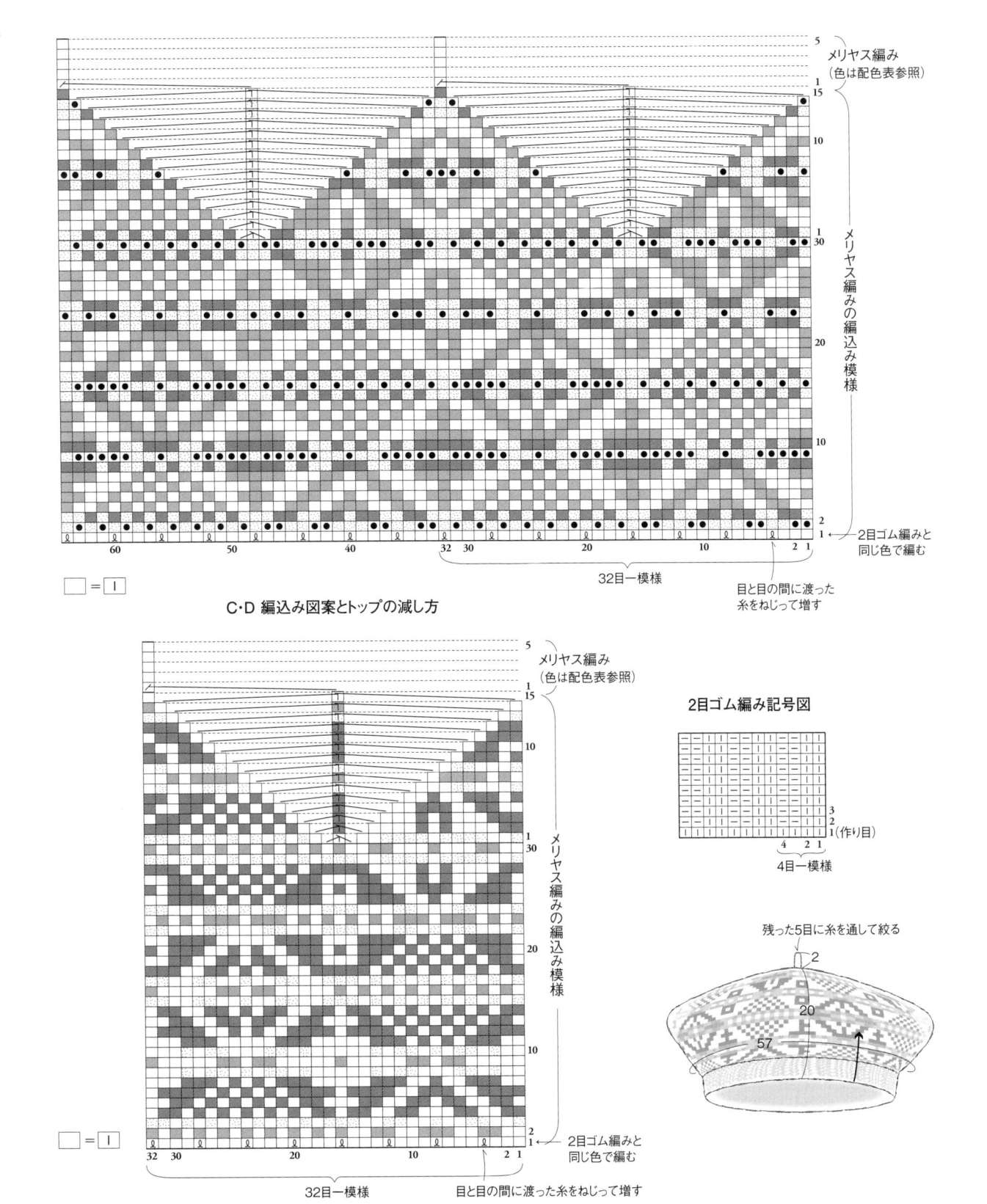

メリヤス編み（色は配色表参照）

メリヤス編みの編込み模様

2目ゴム編みと同じ色で編む

32目一模様

目と目の間に渡った糸をねじって増す

☐ = | |

C・D 編込み図案とトップの減し方

メリヤス編み（色は配色表参照）

メリヤス編みの編込み模様

2目ゴム編みと同じ色で編む

32目一模様

目と目の間に渡った糸をねじって増す

2目ゴム編み記号図

4目一模様

1(作り目)

残った5目に糸を通して絞る

P.28 ノルディック柄のセット

[糸] パピー シェットランド
　　　〈手袋〉サンドベージュ（7）60g、濃紺（20）25g
　　　〈キャップ〉サンドベージュ（7）100g、濃紺（20）30g
[用具] 〈手袋〉3号、4号4本棒針
　　　〈キャップ〉4号4本棒針
[ゲージ] メリヤス編みの編込み模様
　　　27目30段が10cm四方
[サイズ] 〈手袋〉てのひら回り22cm、長さ19.5cm
　　　〈キャップ〉頭回り59cm、深さ21.5cm
[編み方]
〈手袋〉糸は1本どりで編みます。指に糸をかける方法で48目作り目して輪にし、3号針で2目ゴム編みを編みます。4号針に替えて60目に増し、メリヤス編みの編込み模様で編みますが、親指穴の下側は別糸を通して目を休め、上側は目を作ります（P.18参照）。48目に減らして2目ゴム編みを編み、伏止めをします。別糸を抜いて目を拾い、2目ゴム編みで親指を編みます。右手は対称に編みます。
〈キャップ〉糸は1本どりで編みます。指に糸をかける方法で144目作り目して輪にし、2目ゴム編みを編みます。160目に増し、裏メリヤス編み、メリヤス編み、メリヤス編みの編込み模様を編みます。トップを図のように減らします。残った50目に糸を1目おきに2周通して絞ります。ポンポンを作ってトップにつけます。

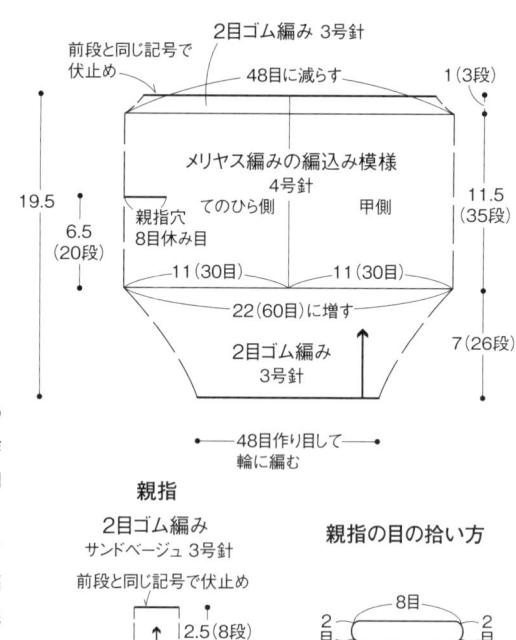

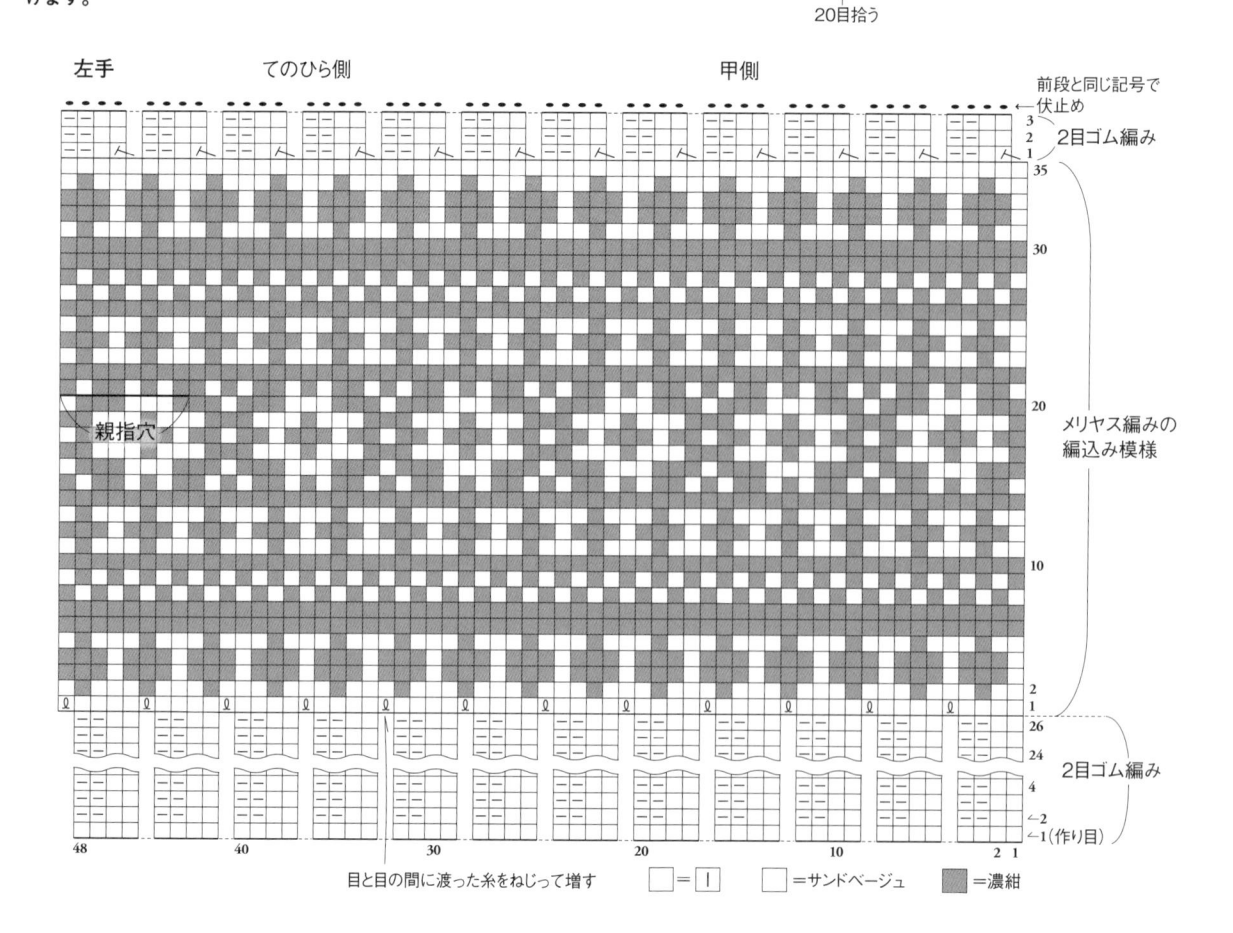

〈手袋〉 左手　※右手は対称に編む

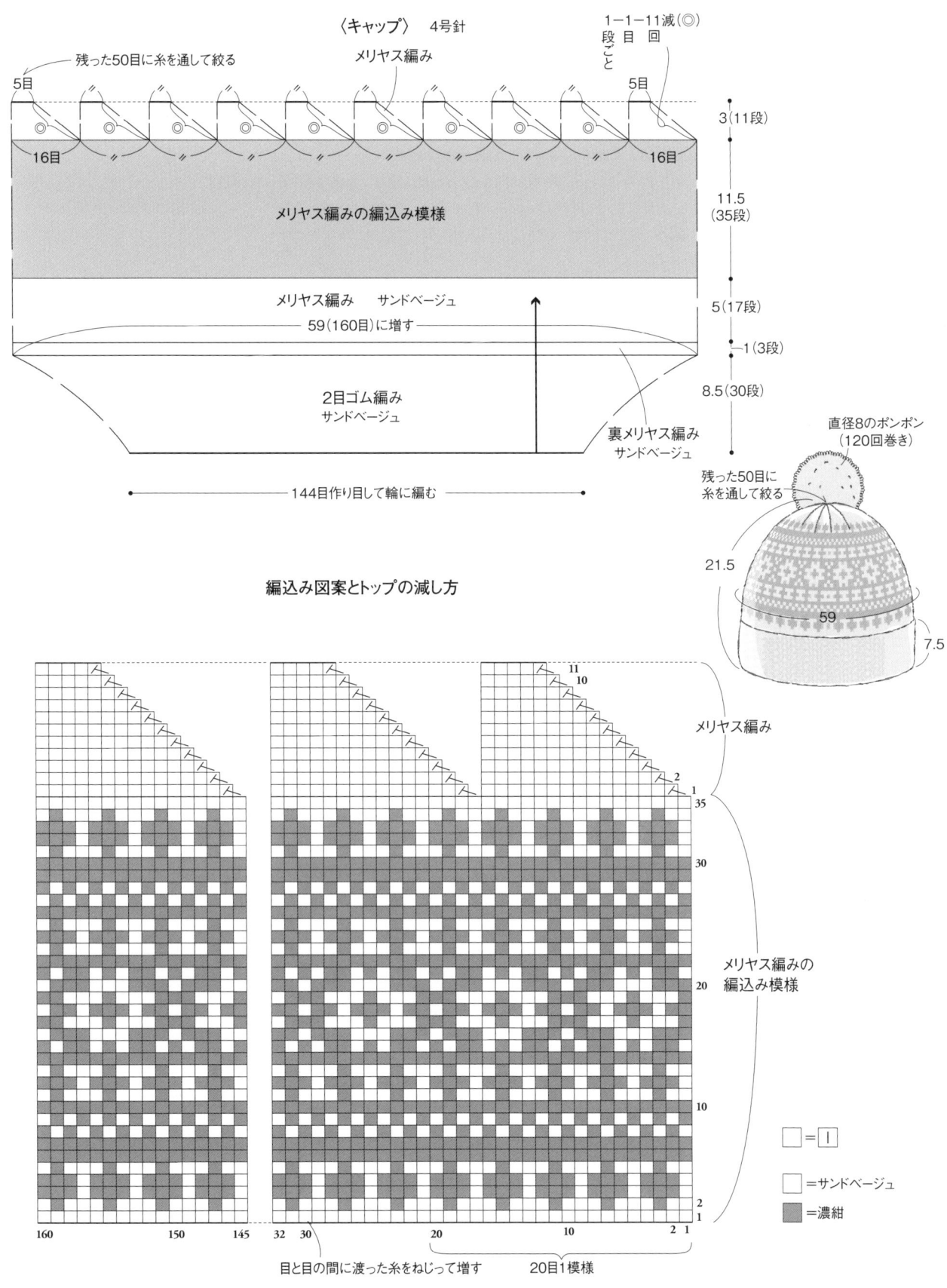

〈キャップ〉 4号針

残った50目に糸を通して絞る　メリヤス編み　1-1-11減(◎) 段目回 段目ごと

5目　16目　16目　5目

3(11段)

メリヤス編みの編込み模様

11.5(35段)

メリヤス編み　サンドベージュ
59(160目)に増す

5(17段)

1(3段)

2目ゴム編み
サンドベージュ

裏メリヤス編み
サンドベージュ

8.5(30段)

144目作り目して輪に編む

直径8のポンポン
(120回巻き)

残った50目に
糸を通して絞る

21.5

59

7.5

編込み図案とトップの減し方

メリヤス編み

35
30
20
10
2　1

メリヤス編みの
編込み模様

160　150　145　32　30　20　10　2　1

目と目の間に渡った糸をねじって増す　　20目1模様

□=|
□=サンドベージュ
■=濃紺

65

P.30 女の子のためのセット

[糸]　　　パピー クイーンアニー 〈キャップ〉グレー（832）90g、オフホワイト（880）、紫色（964）各少々
　　　　　〈ミトン〉グレー（832）60g、オフホワイト（880）30g、紫色（964）15g
[用具]　　〈キャップ〉5号2本棒針、7号4本棒針　〈ミトン〉4号、5号4本棒針
[ゲージ]　〈キャップ〉ガーター編み　20目が8cm、46段が10cm　メリヤス編み　23目28段が10cm四方
　　　　　〈ミトン〉メリヤス編み（5号針）　24目が10cm、15段が5cm　模様編みの編込み模様　24.5目28段が10cm四方
[サイズ]　〈キャップ〉頭回り54.5cm、深さ23cm　〈ミトン〉てのひら回り22cm、長さ24.5cm
[編み方]
〈キャップ〉糸は1本どりで編みます。指に糸をかける方法で20目作り目し、ガーター編みを往復で編んで伏止めをします。編終りと編始めをメリヤスはぎで輪にします。ガーター編み2段から1目ずつ拾い目し、メリヤス編みを輪に編みますが、9段と10段の指定の位置は裏目で編みます。トップを図のように減らし、残った6目に糸を通して絞ります。裏目で編んでおいた部分の回りにメリヤス刺繍をします。
〈ミトン〉糸は1本どりで編みます。指に糸をかける方法で42目作り目して輪にし、メリヤス編みを針を替えながら編みますが、5号針の1段目でかけ目と左上2目一度を繰り返します。54目に増し、編込み模様で編みますが、親指穴の下側は別糸を通して目を休め、上側は目を作ります（P.18参照）。指先を図のように減らし、残った2目に糸を通して絞ります。別糸を抜いて目を拾い、親指を編みます。折返し分を内側に折ってまつります。右手は対称に編みます。

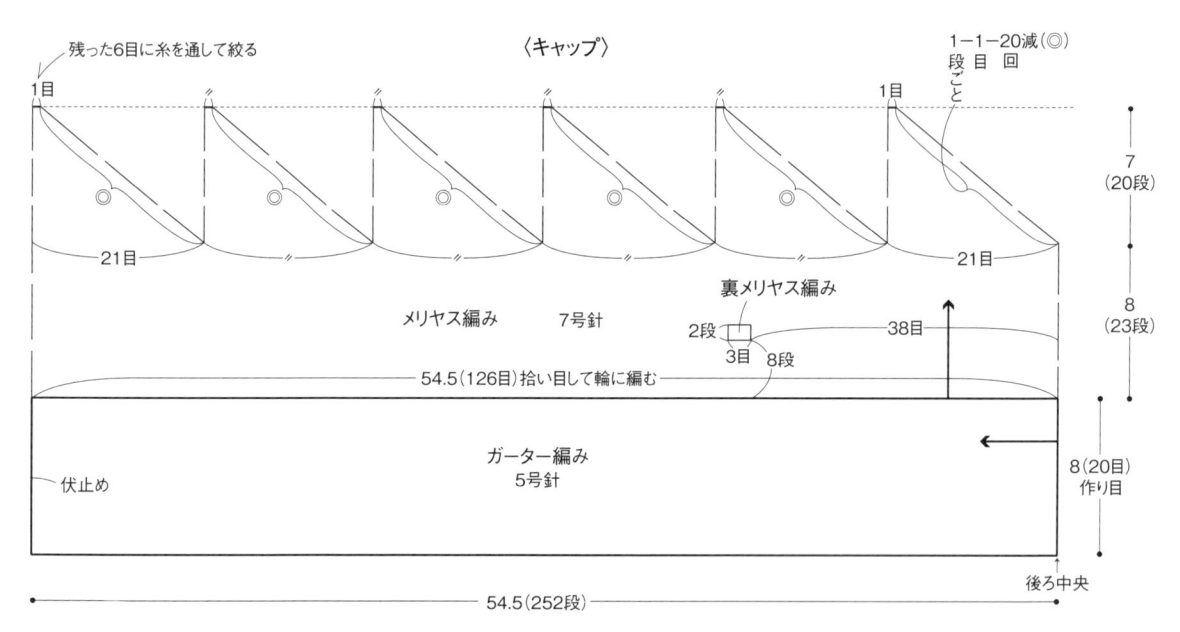

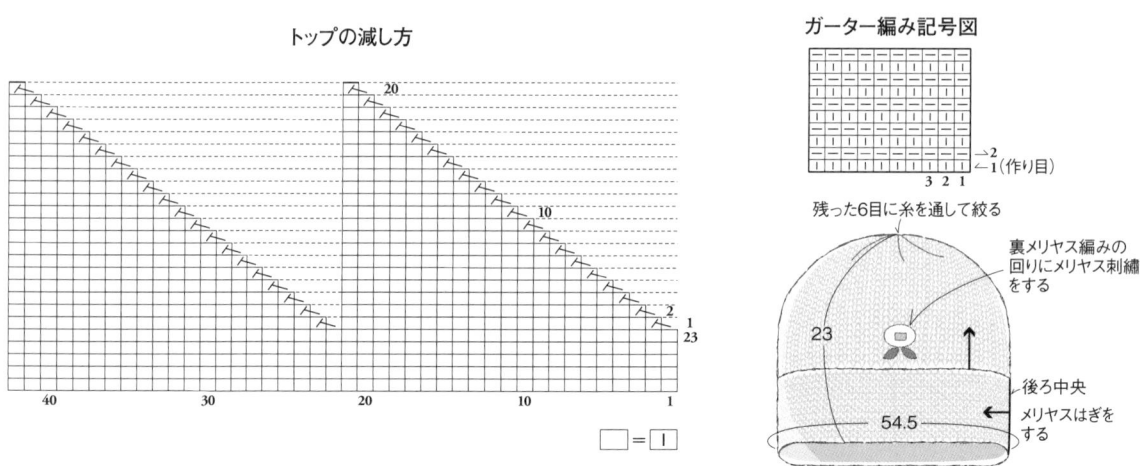

〈ミトン〉 左手　※右手は対称に編む　　△=「かけ目、左上2目一度」を繰り返す
（折り返すとピコットになる）

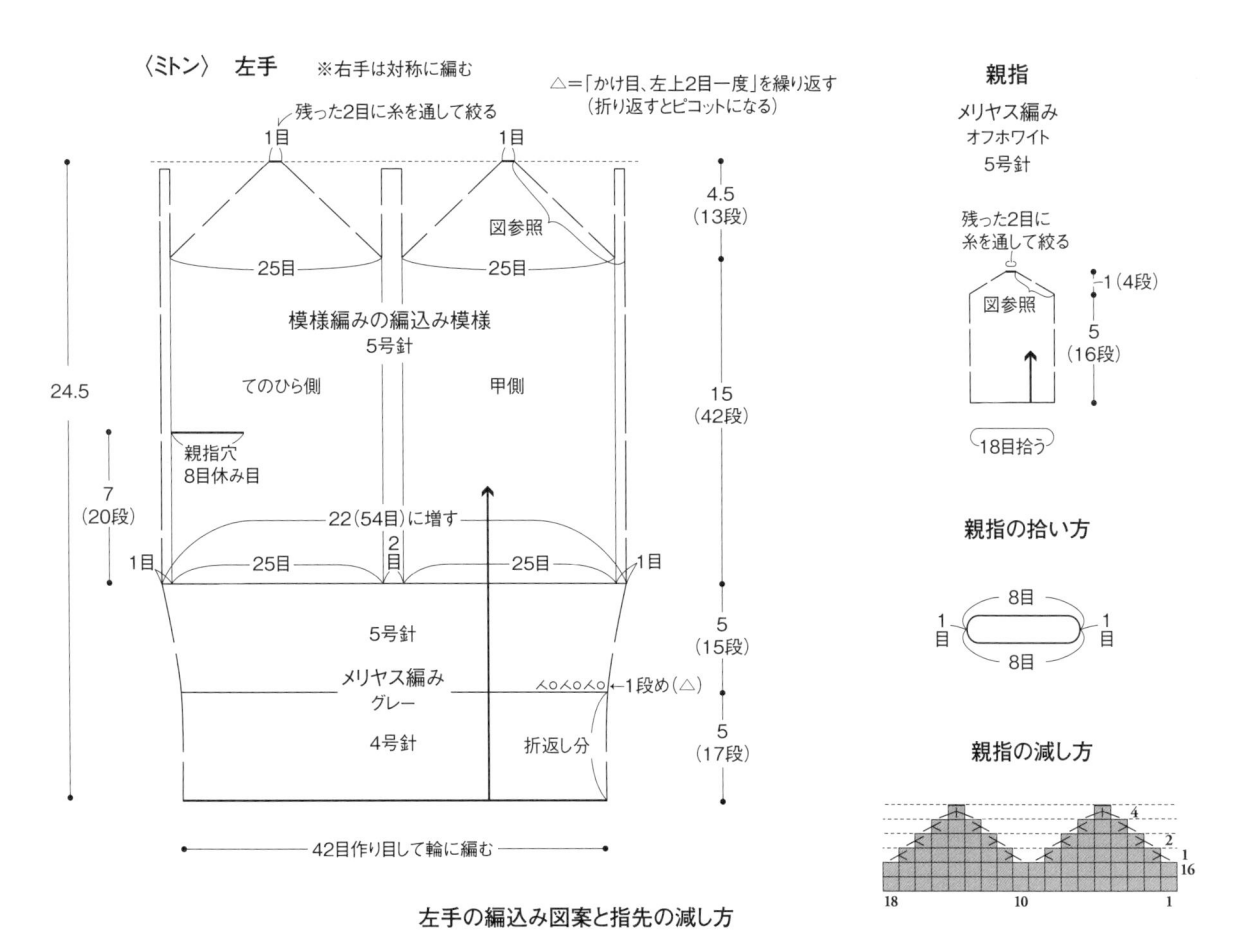

残った2目に糸を通して絞る
1目　1目
25目　図参照　25目
4.5（13段）

模様編みの編込み模様
5号針
てのひら側　甲側
15（42段）

親指穴
8目休み目
22（54目）に増す
1目　25目　2目　25目　1目
7（20段）

24.5

5号針
メリヤス編み
グレー
4号針
折返し分
←1段め（△）
5（15段）
5（17段）

42目作り目して輪に編む

親指
メリヤス編み
オフホワイト
5号針

残った2目に糸を通して絞る
図参照
-1（4段）
5（16段）
18目拾う

親指の拾い方
1目　8目　1目
8目

親指の減し方
4　2　1
16
18　10　1

左手の編込み図案と指先の減し方
てのひら側　甲側

□=|
■=オフホワイト
■=紫色
□=グレー

13　10　2　1　42　40
26　20　12　10　3　2　1

キャップのメリヤス刺繍図案
10段一模様

54　50　40　33　30　28 27　20　10 9　2　1
4目一模様　　目と目の間に渡った糸をねじって増す　　8目一模様

67

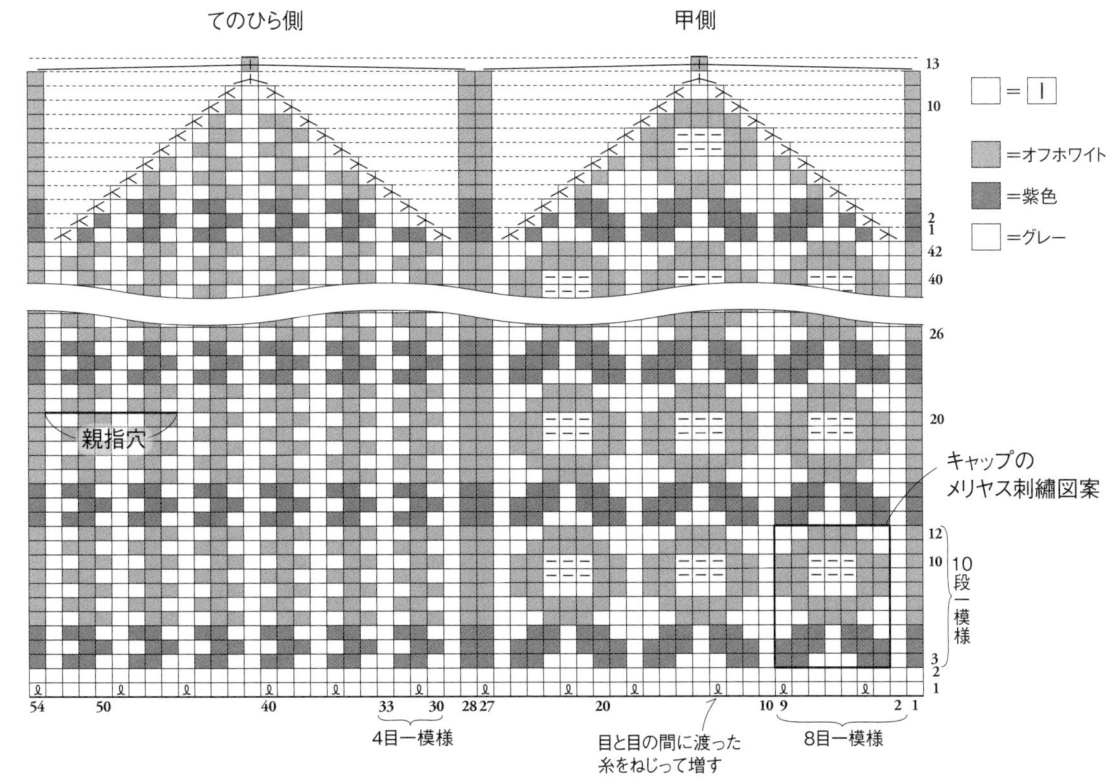

p.37 アランの靴下

［糸］　　　パピー クイーンアニー　グレー（832）110g
［用具］　　4号4本棒針
［ゲージ］　模様編みA　26目33段が10cm四方　裏メリヤス編み　24目33段が10cm四方
［サイズ］　足の大きさ23cm、長さ21.5cm
［編み方］　糸は1本どりで編みます。

指に糸をかける方法で52目作り目して輪にし、ねじり1目ゴム編み、模様編みAで足首を編みます。続けて、甲側の13目を編み、模様編みBを往復で編みます。甲側の25目は休めておきます。かかとを図のように引返し編みで編みます。図のように拾い目し、裏メリヤス編みを輪に編みますが、指定の位置で減し目をします。指定の長さまで編んだらつま先を図のように減らし、残った4目に糸を通して絞ります。もう片方も同様に編みます。

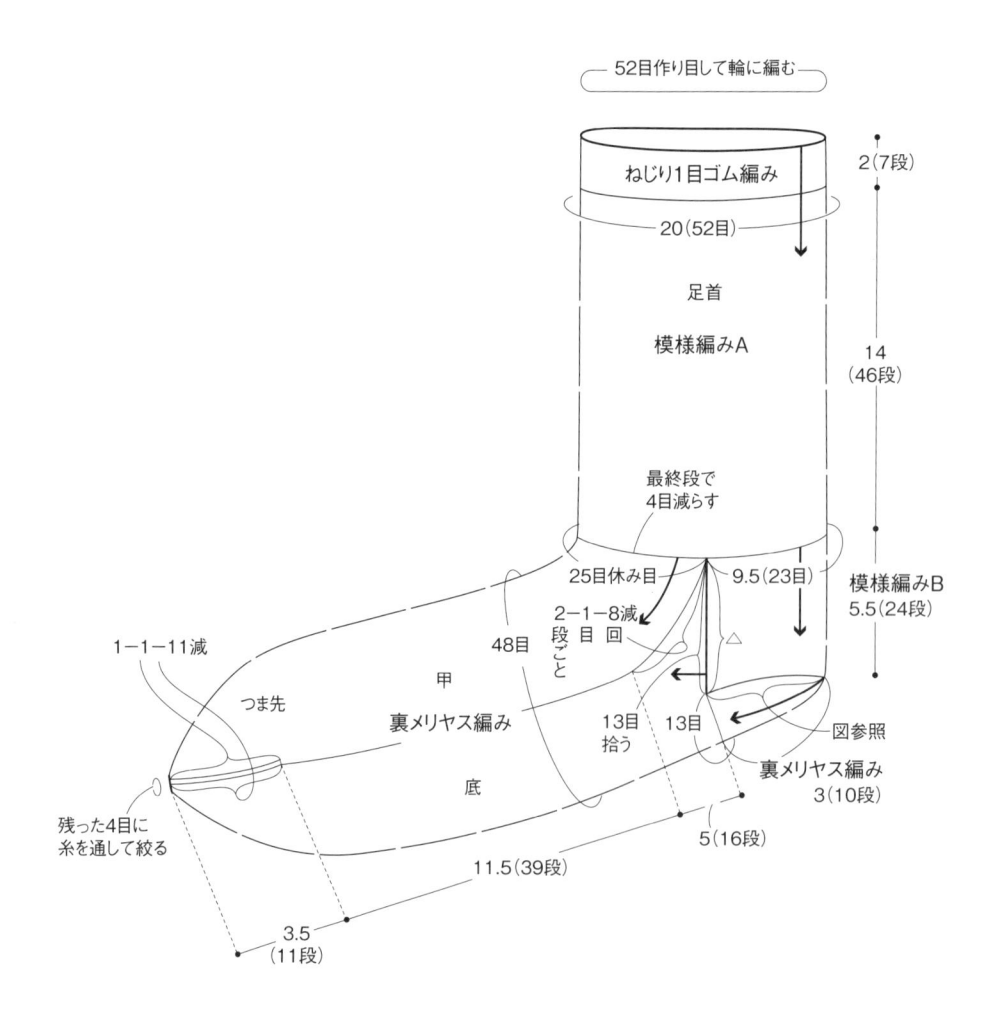

- 52目作り目して輪に編む
- ねじり1目ゴム編み　2（7段）
- 20（52目）
- 足首　模様編みA　14（46段）
- 最終段で4目減らす
- 25目休み目
- 9.5（23目）
- 模様編みB　5.5（24段）
- 2-1-8減　段目回　ごと
- 1-1-11減
- つま先
- 甲　裏メリヤス編み　48目
- 13目拾う
- 13目
- 図参照
- 裏メリヤス編み　3（10段）
- 底
- 残った4目に糸を通して絞る
- 3.5（11段）
- 11.5（39段）
- 5（16段）

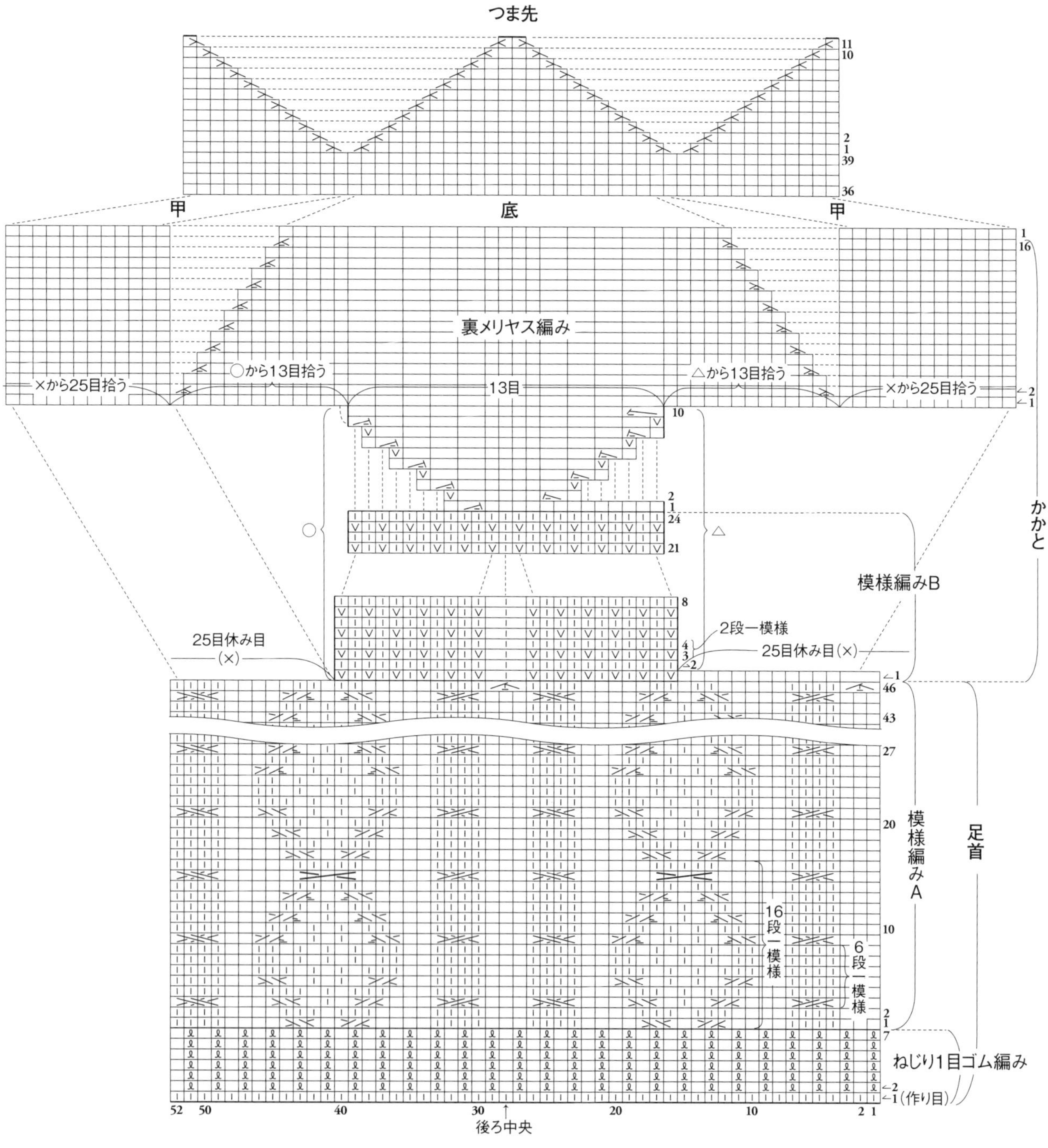
つま先
甲
底
甲
裏メリヤス編み
×から25目拾う
○から13目拾う
13目
△から13目拾う
×から25目拾う
かかと
模様編みB
2段一模様
25目休み目
(×)
25目休み目(×)
模様編みA
16段一模様
6段一模様
足首
ねじり1目ゴム編み
(作り目)
後ろ中央

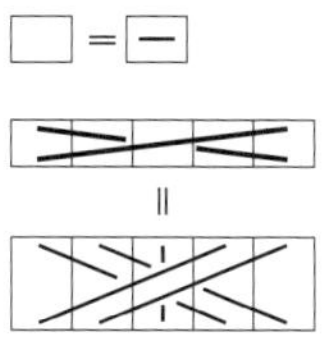

p.34 生成りのマフラー

[糸] クロバー エクセレント 生成り（60-361）150g
[用具] 14号2本棒針
[ゲージ] 模様編み 31目21段が10cm四方
[サイズ] 幅12cm、長さ169cm
[編み方] 糸は1本どりで編みます。

指に糸をかける方法で37目作り目し、模様編みを編みます。指定の長さまで編んだら、編終りは伏止めをします。

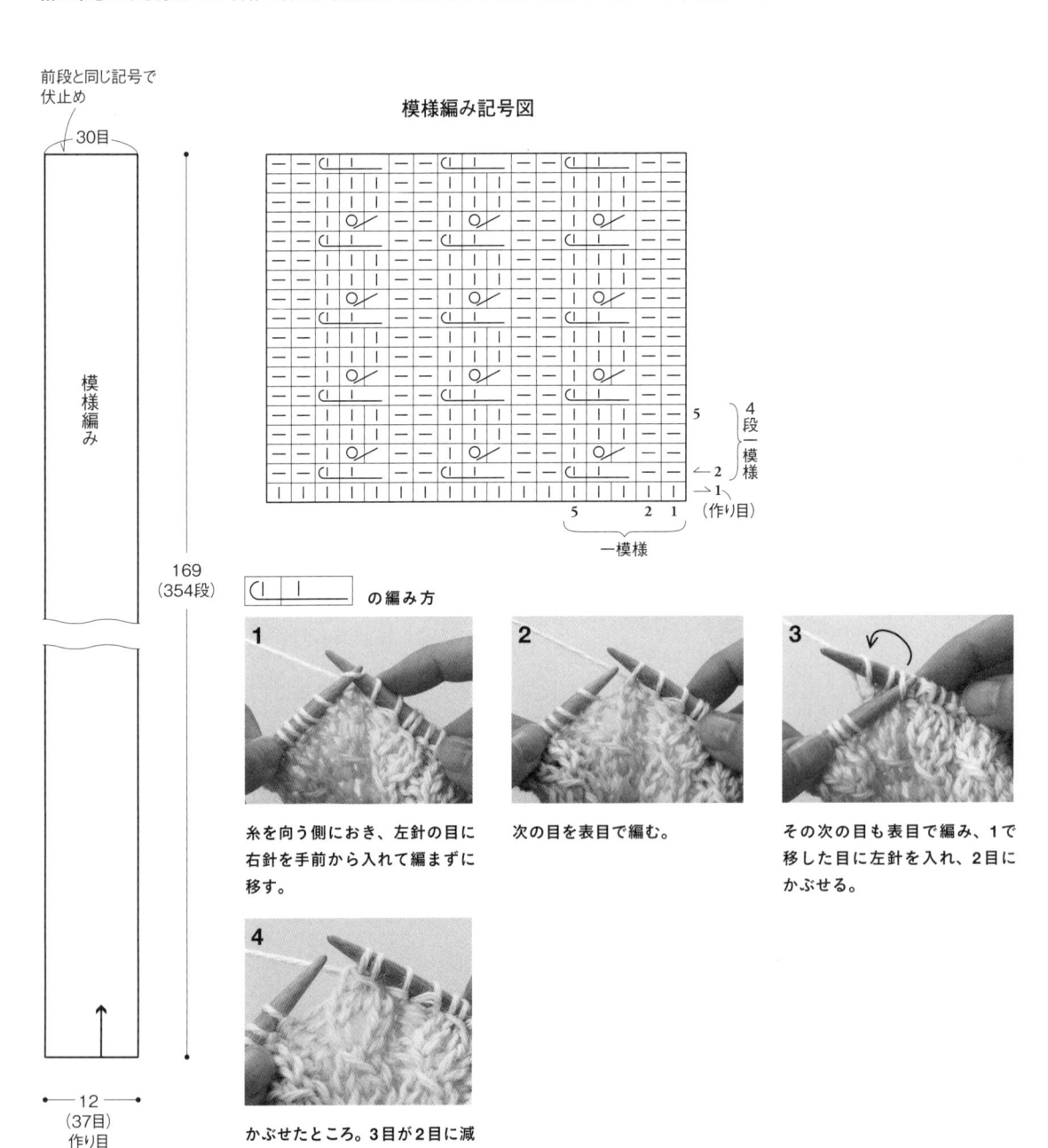

前段と同じ記号で伏止め
30目

模様編み

169
(354段)

12
(37目)
作り目

模様編み記号図

4段一模様
一模様
(作り目)

の編み方

1 糸を向う側におき、左針の目に右針を手前から入れて編まずに移す。

2 次の目を表目で編む。

3 その次の目も表目で編み、1で移した目に左針を入れ、2目にかぶせる。

4 かぶせたところ。3目が2目に減る。

P.34 茶色のマフラー

- [糸] クロバー エクセレント　茶色（60-365）150g
- [用具] 14号2本棒針
- [ゲージ] 模様編み　19.5目22段が10cm四方
- [サイズ] 幅19cm、長さ154cm
- [編み方] 糸は1本どりで編みます。

指に糸をかける方法で37目作り目し、模様編みを編みます。指定の長さまで編んだら、編終りは伏止めをします。

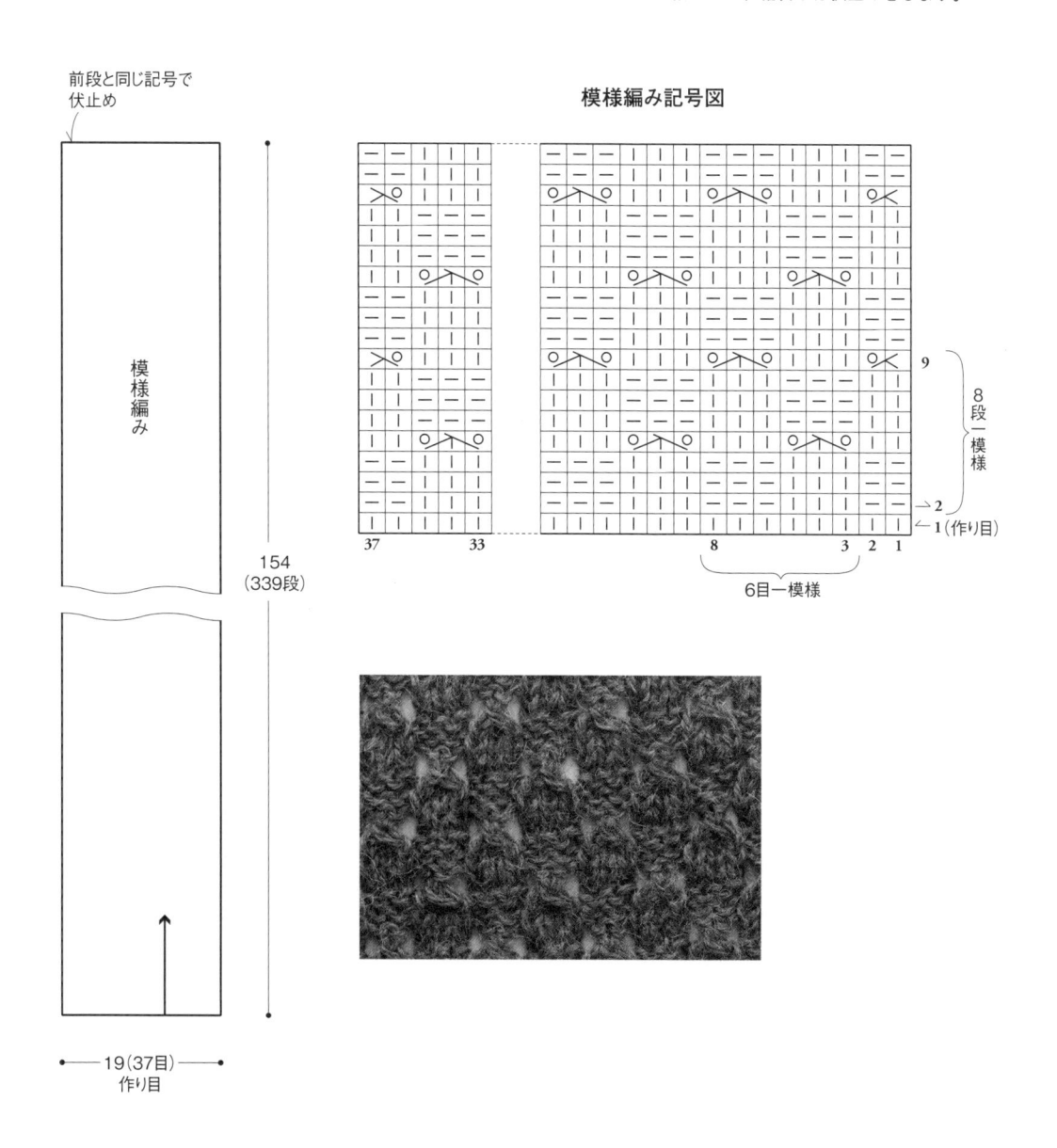

模様編み記号図

P.35 グレーのマフラー

[糸]　　　クロバー エクセレント　グレー（60-362）175g
[用具]　　14号2本棒針
[ゲージ]　模様編み　18.5目23段が10cm四方
[サイズ]　幅25cm、長さ140cm
[編み方]　糸は1本どりで編みます。

指に糸をかける方法で46目作り目し、模様編みを編みます。指定の長さまで編んだら、編終りは巻止めをします。

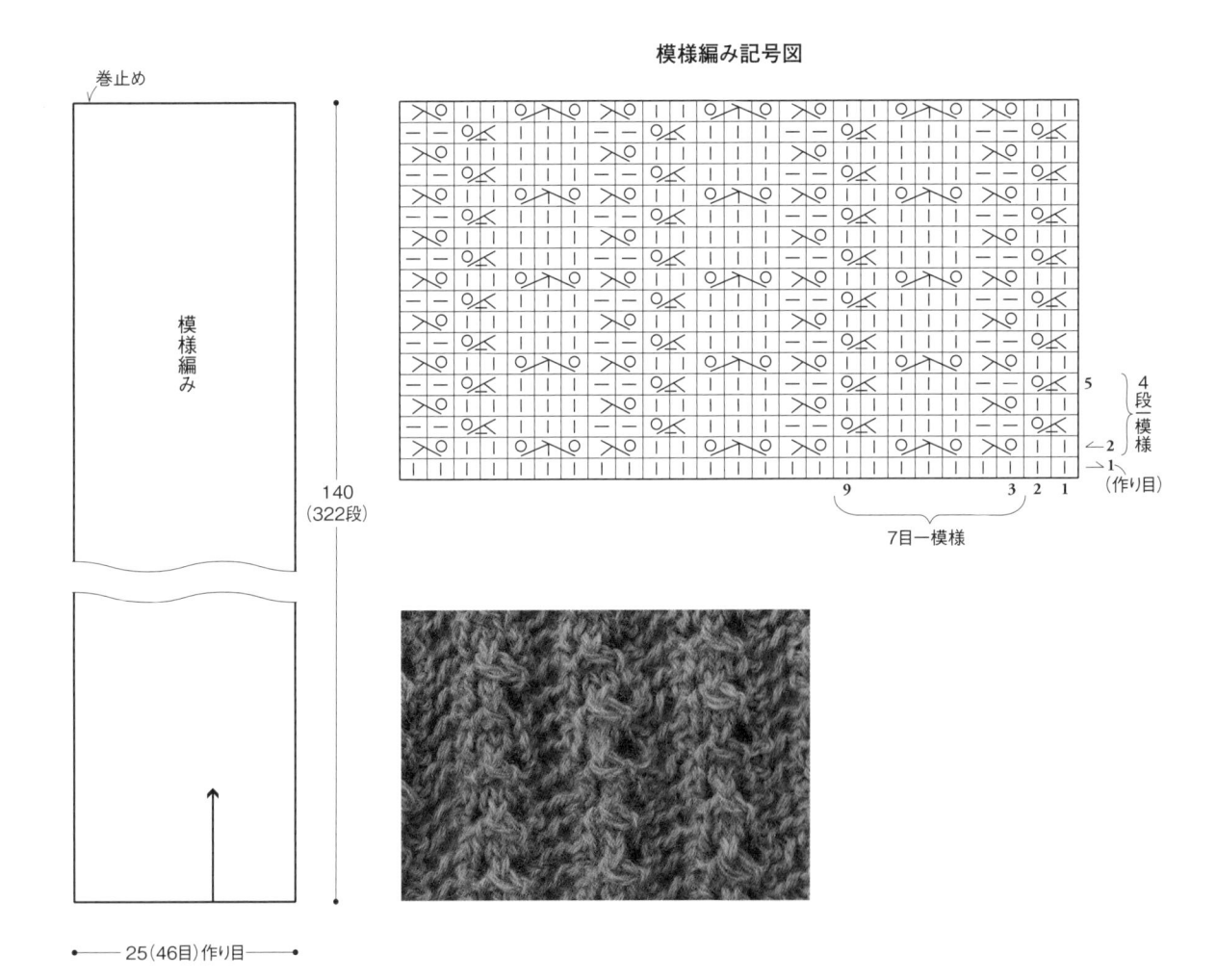

模様編み記号図

7目一模様

4段模様

140（322段）

模様編み

巻止め

25（46目）作り目

P.35 からし色のマフラー

- [糸]　パピー サンバラツイード　からし色（704）150g
- [用具]　14号2本棒針
- [ゲージ]　模様編み　17.5目23段が10cm四方
- [サイズ]　幅19cm、長さ158cm
- [編み方]　糸は1本どりで編みます。

指に糸をかける方法で33目作り目し、模様編みを編みます。指定の長さまで編んだら、編終りは伏止めをします。

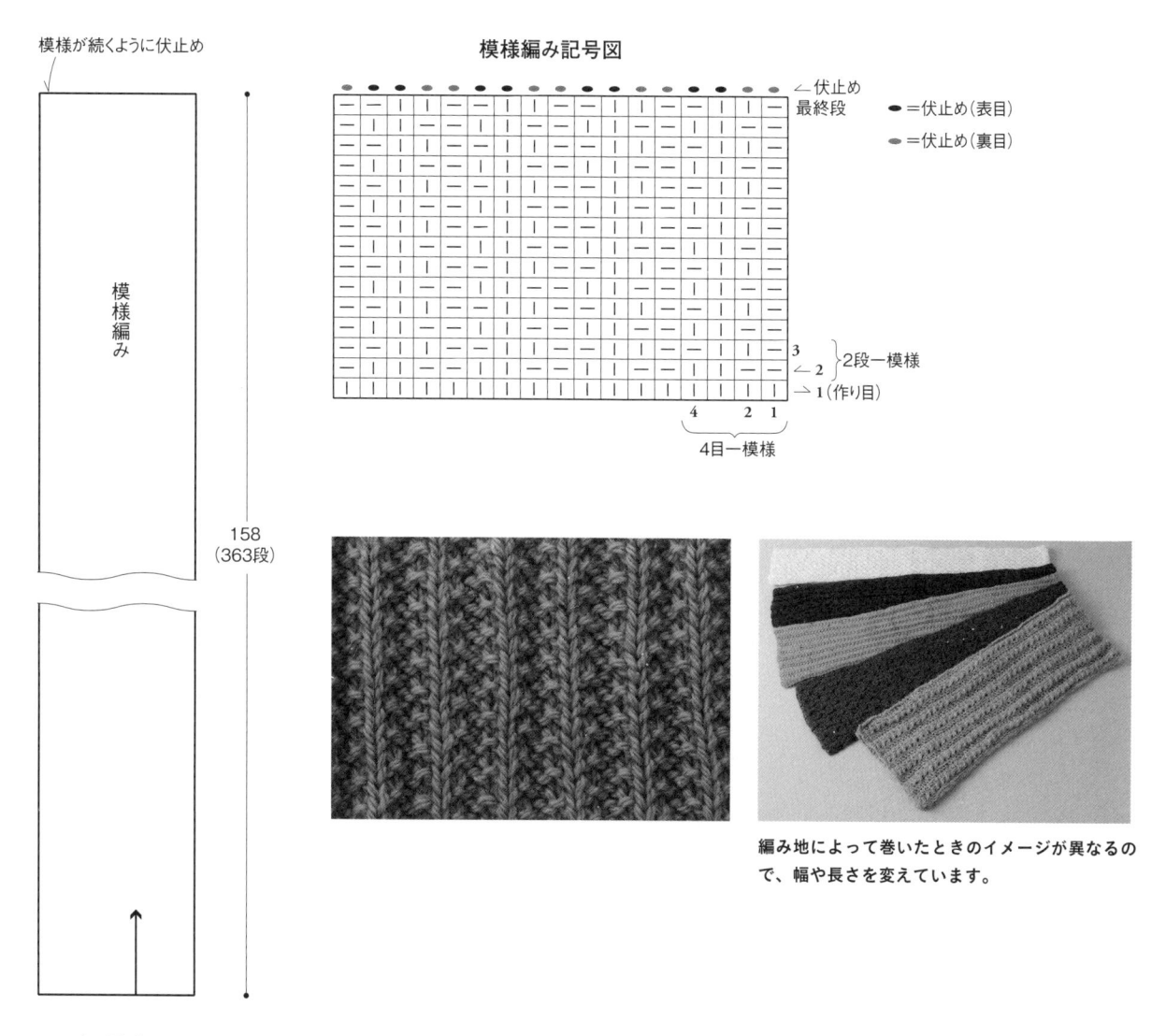

模様編み記号図

●＝伏止め（表目）
●＝伏止め（裏目）

2段一模様
4目一模様

模様が続くように伏止め

模様編み

158(363段)

19(33目)作り目

編み地によって巻いたときのイメージが異なるので、幅や長さを変えています。

p.35 紫色のマフラー

- [糸] パピー カルペディエム 紫色(46) 180g
- [用具] 14号2本棒針
- [ゲージ] 模様編み 22目21段が10cm四方
- [サイズ] 幅15cm、長さ163cm
- [編み方] 糸は1本どりで編みます。

指に糸をかける方法で33目作り目し、模様編みを編みます。指定の長さまで編んだら、編終りは伏止めをします。

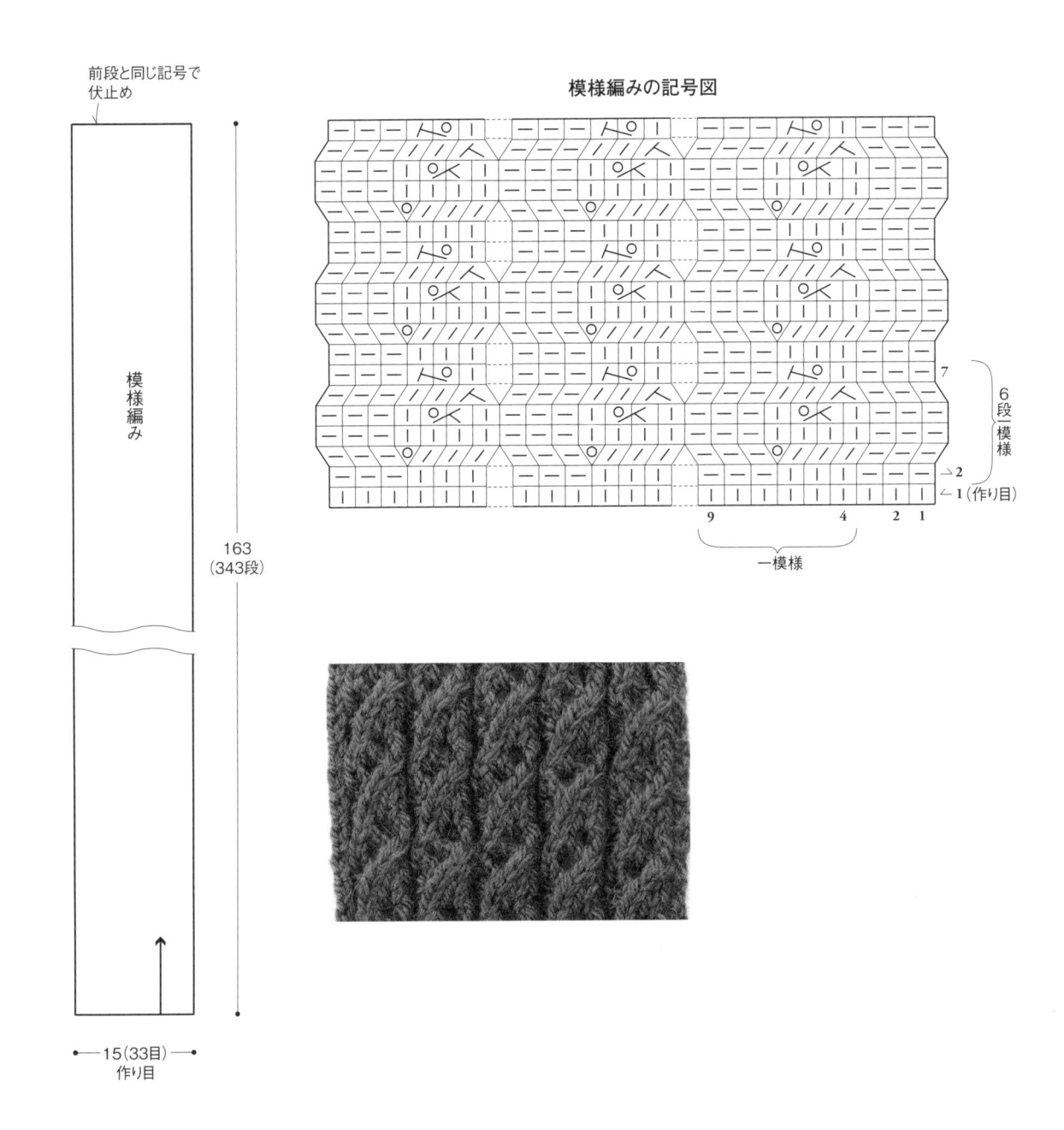

編み物の基礎

[作り目]
指に糸をかける方法　いろいろな編み地に適し、初心者にも作りやすい方法です。

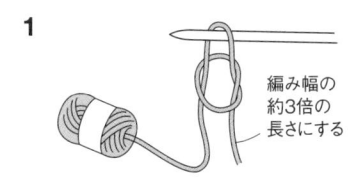

1
糸端から編み幅の約3倍の長さのところで輪を作り、棒針を輪の中に通す

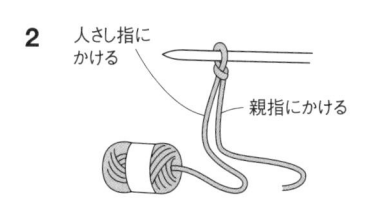

2
輪を引き締める。1目めの出来上り

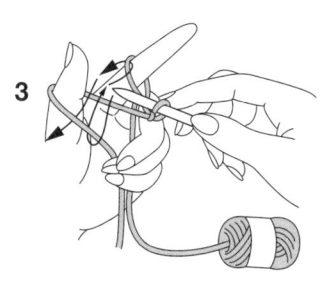

3
糸端側を左手の親指に、糸玉側を人さし指にかけ、親指にかかっている糸を矢印のようにすくう

4
親指の糸をはずし、手前の糸を矢印の方向に引き締める

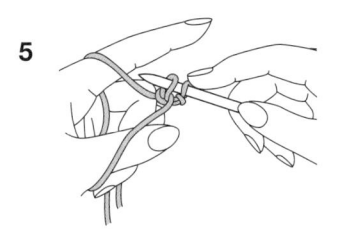

5
引き締めたところ。3～5を繰り返し、必要目数作る

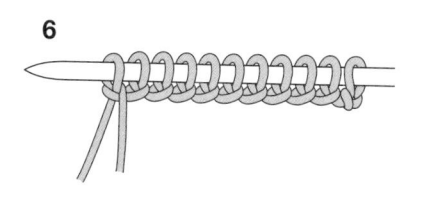

6
1段めの出来上り。この棒針を左手に持ち替えて2段めを編む

針にかかった目から編み出す方法　著者が使用している方法です。作り目が薄く仕上がります。

1
左針に1目めを指で作る

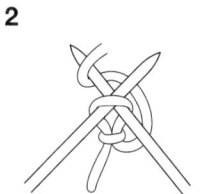

2
1目めに右針を入れ、糸をかける

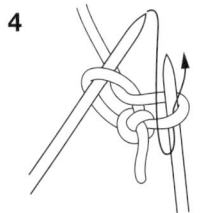

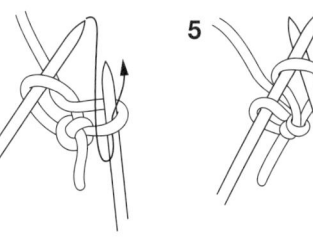

3
引き出す

4
引き出した目を左針に移す。右針を抜かないでおく

5
移した目が2目めとなる

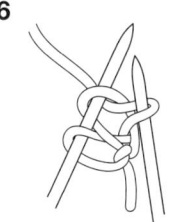

6
2～4と同様に糸をかけて引き出し、左針に移す

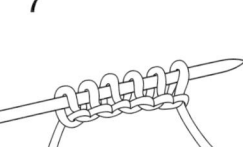

7
必要目数作る。表目1段と数える

表目 |

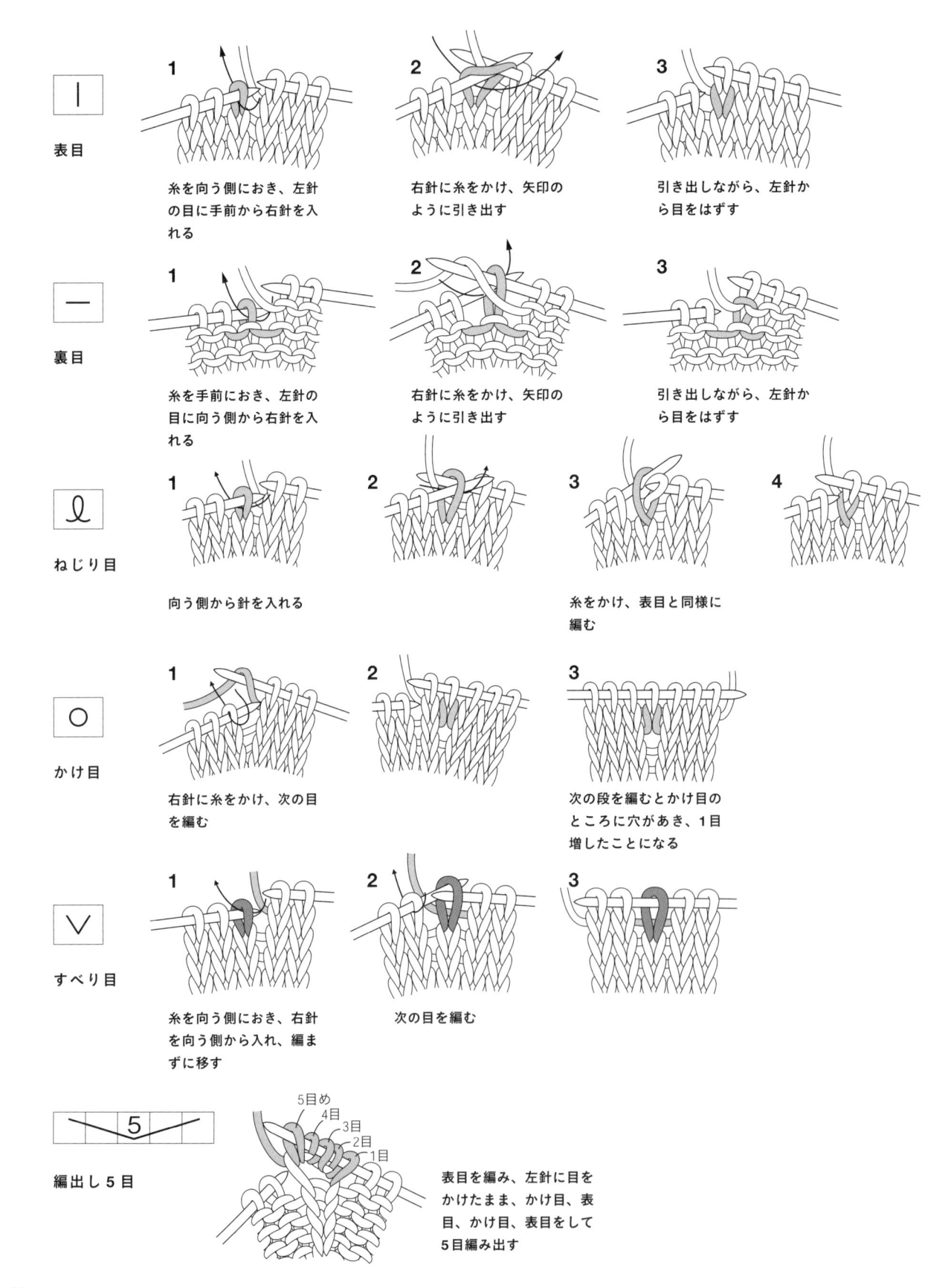

1. 糸を向う側におき、左針の目に手前から右針を入れる
2. 右針に糸をかけ、矢印のように引き出す
3. 引き出しながら、左針から目をはずす

裏目 —

1. 糸を手前におき、左針の目に向う側から右針を入れる
2. 右針に糸をかけ、矢印のように引き出す
3. 引き出しながら、左針から目をはずす

ねじり目

1. 向う側から針を入れる
3. 糸をかけ、表目と同様に編む

かけ目 ○

1. 右針に糸をかけ、次の目を編む
3. 次の段を編むとかけ目のところに穴があき、1目増したことになる

すべり目 ∨

1. 糸を向う側におき、右針を向う側から入れ、編まずに移す
2. 次の目を編む

編出し5目

表目を編み、左針に目をかけたまま、かけ目、表目、かけ目、表目をして5目編み出す

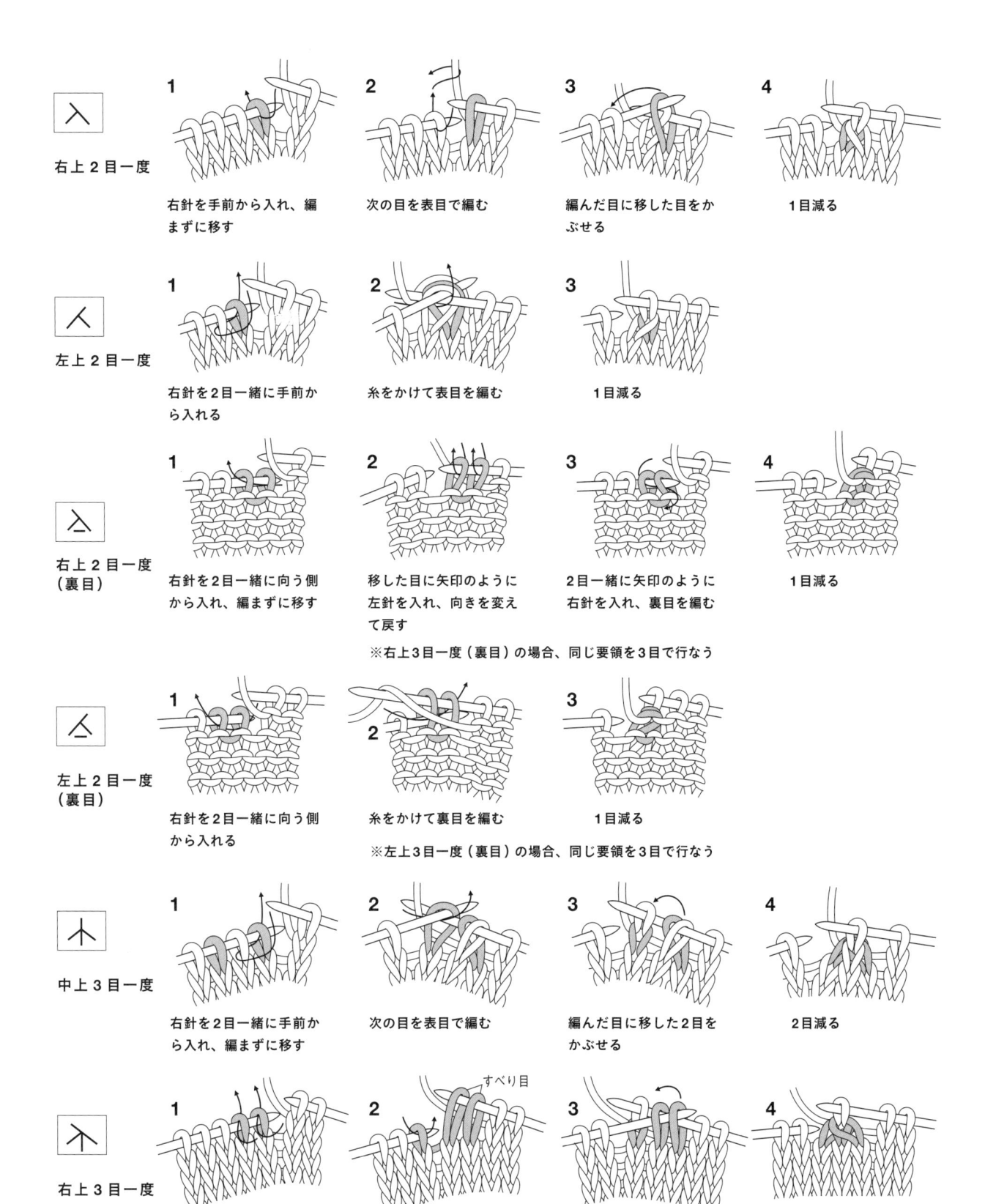

記号	名称	1	2	3	4
入	右上2目一度	右針を手前から入れ、編まずに移す	次の目を表目で編む	編んだ目に移した目をかぶせる	1目減る
人	左上2目一度	右針を2目一緒に手前から入れる	糸をかけて表目を編む	1目減る	
入	右上2目一度（裏目）	右針を2目一緒に向う側から入れ、編まずに移す	移した目に矢印のように左針を入れ、向きを変えて戻す	2目一緒に矢印のように右針を入れ、裏目を編む	1目減る

※右上3目一度（裏目）の場合、同じ要領を3目で行なう

記号	名称	1	2	3	4
人	左上2目一度（裏目）	右針を2目一緒に向う側から入れる	糸をかけて裏目を編む	1目減る	

※左上3目一度（裏目）の場合、同じ要領を3目で行なう

記号	名称	1	2	3	4
木	中上3目一度	右針を2目一緒に手前から入れ、編まずに移す	次の目を表目で編む	編んだ目に移した2目をかぶせる	2目減る
木	右上3目一度	右針を手前から入れ、2目編まずに移す	次の目を表目で編む（すべり目）	編んだ目に移した2目をかぶせる	2目減る

77

右上2目交差

1 1、2の目に別針を向う側から入れて移し、手前におく

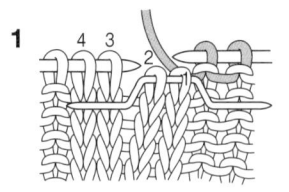

2 3、4の目を表目で編む

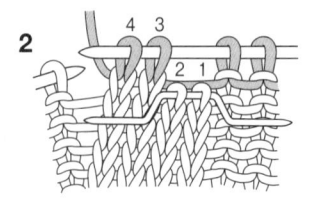

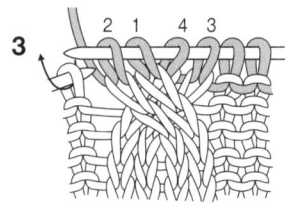

3 別針に移した1、2の目を表目で編む

※裏目との交差や目数が増えた場合も、同じ要領で編む

左上2目交差

1 1、2の目に別針を向う側から入れて移し、向う側におく

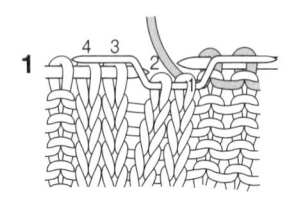

2 3、4の目を表目で編む

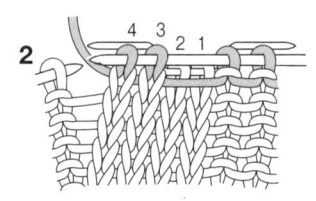

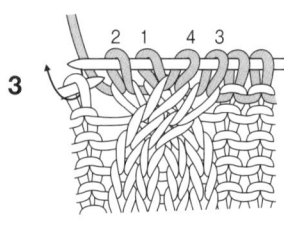

3 別針に移した1、2の目を表目で編む

※裏目との交差や目数が増えた場合も、同じ要領で編む

[編込み模様の糸の替え方]

1 配色糸を上にして、地糸で編む

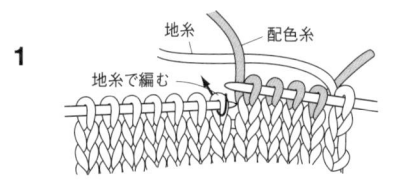

2 配色糸を地糸の上にして替える

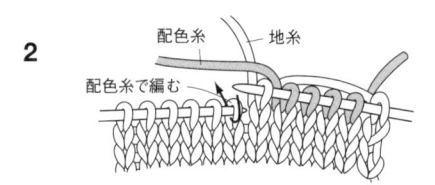

[裏に渡る糸が長くなるとき] 裏に糸が4〜5目以上渡るときに、渡り糸をとめる方法です。

1

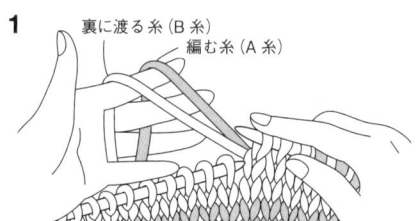

2 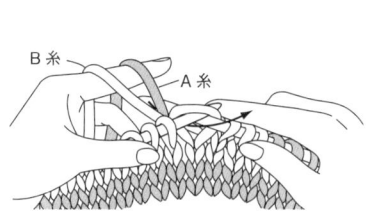 編む糸（A糸）を上にして編む

3 2〜3目ごとに、裏に渡る糸（B糸）を上にしてA糸で編む

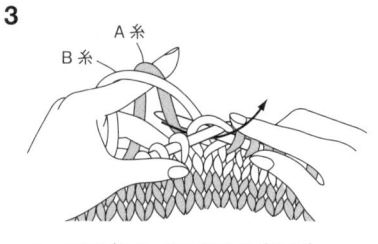

[メリヤス刺繍] メリヤス編みの編み地の上に、編み目に重ねて刺す刺繍です。

1 刺す目の下側から糸を出し、上の段の根もとを横にすくう

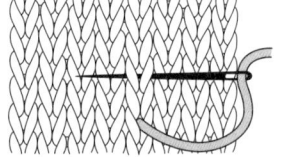

2 1で出した位置に針を刺す

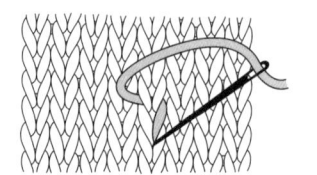

3 1目刺したところ

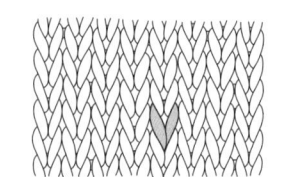

[伏止め（表目）]

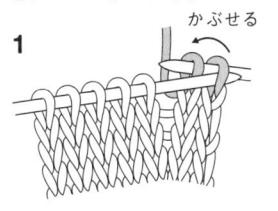

1 端の2目を表目で編み、端の目を2目めにかぶせる

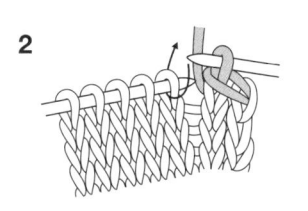

2 次の目を表目で編む

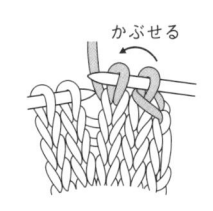

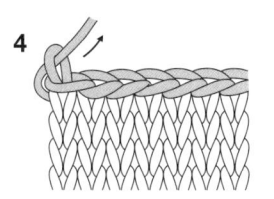

3 2、3を繰り返す

4 最後の目に糸端を通して目を引き締める

[伏止め（裏目）]

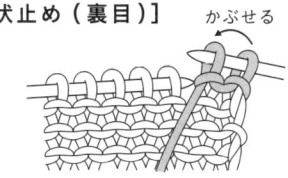

1 端の2目を裏目で編み、端の目を2目めにかぶせる

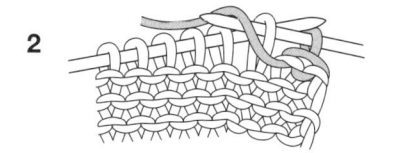

2 次の目を裏目で編み、右の目をかぶせる

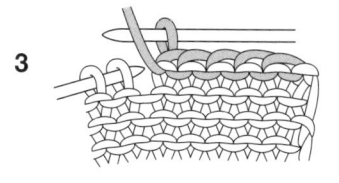

3 2を繰り返す

[巻止め]

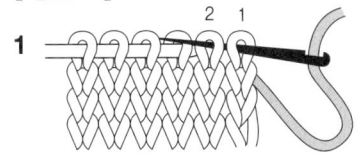

1 端の2目に図のように針を入れる

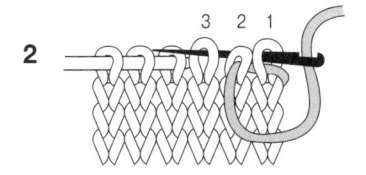

2 戻って、1の目と3の目に針を入れる

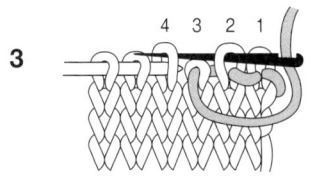

3 戻って、2の目と4の目に針を入れる

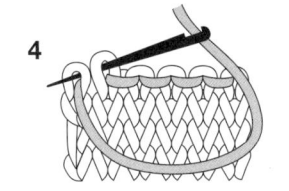

4 最後は図のように針を入れる

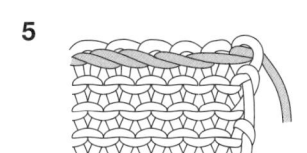

5 裏から見たところ

[ポンポンの作り方]

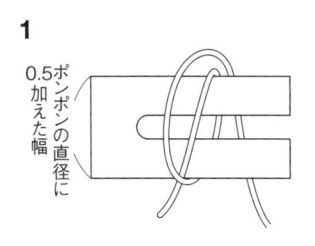

1 厚紙に糸を指定回数巻く

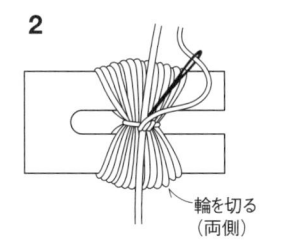

2 中央を同色の糸でしっかり結び、毛糸を結び目に通して糸端でかがる。両側の輪を切る

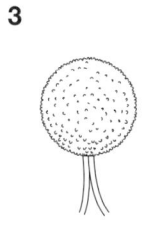

3 形よく切りそろえる

[メリヤスはぎ]

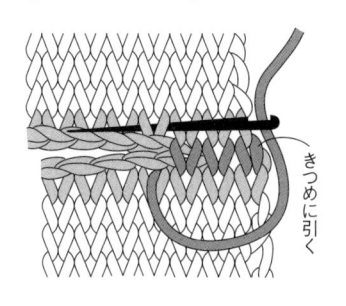

メリヤス目を作りながらはぎ合わせていく方法。表を見ながら右から左へはぎ進む。下はハの字に、上は逆ハの字に目をすくっていく

三國万里子
みくにまりこ

1971年新潟生れ。早稲田大学第一文学部仏文科卒業。
幼いころにかぎ針と毛糸をおもちゃ代りに渡されたのが編み物との出会い。
中学では家庭科部で部長を務め、日が暮れるまで部活三昧の日々。
大学のころから洋書を中心にテクニックとデザインの研究を深め、創作に
没頭する。著書に、『編みものワードローブ』『きょうの編みもの』
『冬の日の編みもの』『編みものともだち』『編みもの修学旅行』（以
上文化出版局）『うれしいセーター』（ほぼ日）がある。

ブックデザイン　渡部浩美	[素材提供]
撮影　公文美和（口絵）	クロバー
中辻 渉（プロセス）	〒537-0025　大阪市東成区中道3-15-5　☎06-6978-2277（お客様係）
スタイリング　岡尾美代子	ダイヤ毛糸
ヘアメイク　樅山 敦	〒532-0011　大阪市淀川区西中島5-8-3 新大阪サンアールビル北館7F　☎06-6307-2915
モデル　レイチェル・パッカード	DARUMA（横田）
お菓子製作　なかしましほ	〒541-0058　大阪市中央区南久宝寺町2-5-14　☎06-6251-2183
編集協力　金井扶佐子　森山絵美　渡辺道子	ダイドーインターナショナルバビー事業部
デジタルトレース　day studio／ダイラクサトミ	〒101-8619　東京都千代田区外神田3-1-16　ダイドーリミテッドビル3F　☎03-3257-7135
編集　三角紗綾子	[素材協力]
	オステルヨートランド（きぬがさマテリアルズ）
	〒675-0162　兵庫県加古郡播磨町二子130　http://kinumate.sakura.ne.jp
	[撮影協力]
編みものこもの	TOUJOURS（ナットソー・ハードワーク カンパニー）　☎03-5939-8090
2009年9月27日　第1刷発行	（P.05、P.32、P.33のオールインワン、P.13、P.22のシャツドレス、P.23のニット、
2017年12月15日　第10刷発行	P.29のカバーオール、P.30、P.36のマリンパンツ、P.30、P.36のサスペンダー）
著　者　三國万里子	Congés payés ADIEU TRISTESSE　☎03-5449-1710
発行者　大沼 淳	（P.15、P.25のTシャツ、P.15、P.25のチュニックワンピース、P.15の小花柄スパッツ）
発行所　学校法人文化学園 文化出版局	ADIEU TRISTESSE　☎03-5449-1710
〒151-8524　東京都渋谷区代々木3-22-1	（P.21のラガーボーダーワンピース）
TEL.03-3299-2487（編集）	
TEL.03-3299-2540（営業）	
印刷・製本所　株式会社文化カラー印刷	

©Mariko Mikuni 2009
Printed in Japan
本書の写真、カット及び内容の無断転載を禁じます。

・本書のコピー、スキャン、デジタル化等の無断複製は著作権法上での例外を除き、禁じられています。
　本書を代行業者等の第三者に依頼してスキャンやデジタル化することは、たとえ個人や家庭内での利用でも著作権法違反になります。
・本書で紹介した作品の全部または一部を商品化、複製頒布、及びコンクールなどの応募作品として出品することは禁じられています。
・撮影状況や印刷により、作品の色は実物と多少異なる場合があります。ご了承ください。

文化出版局のホームページ http://books.bunka.ac.jp/